Lachann Dubh a' Chrògain

Lachlan Livingstone and his Grandsons
Bards of Mull and Lismore

Maighread Dhòmhnallach Lobban

The New Iona Press

Mar chuimhneachan air mo mhàthair, Mairead Nic a' Chananaich,
a mhuinntir Lios Mòr

To my mother, Margaret Buchanan, a native of Lismore

The author with her parents.

Front cover: Croggan, Mull, birthplace of Lachlan Livingstone
Back cover: Port Ramsay, Lismore, where the MacDonald brothers grew up

© Margaret MacDonald Lobban 2004

ISBN 0-9538938-1-2

A catalogue record for this book is available from the British Library.

Typesetting and design by Cànan, Isle of Skye.
Music typesetting by Taigh na Teud Music Publishers, Isle of Skye.
Printed in Great Britain by Nevisprint.

Chuidich Comhairle nan Leabhraichean am foillsichear le cosgaisean an leabhair seo.

First published in 2004 by The New Iona Press
Registered address: Old Printing Press Building, Isle of Iona, Argyll PA76 6SL

CLÀR-INNSE/CONTENTS

DEALBHAN/ILLUSTRATIONS

Craobh Teaghlaich/Family Tree

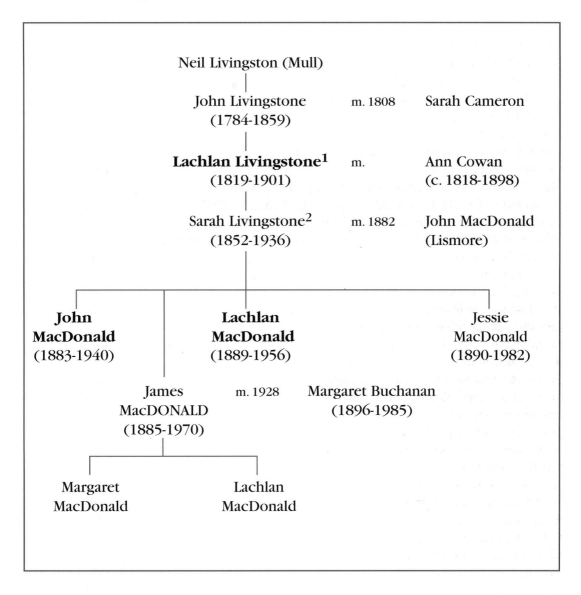

Neil Livingston (Mull)

John Livingstone   m. 1808   Sarah Cameron
(1784-1859)

Lachlan Livingstone[1]   m.   Ann Cowan
(1819-1901)   (c. 1818-1898)

Sarah Livingstone[2]   m. 1882   John MacDonald
(1852-1936)   (Lismore)

John MacDonald (1883-1940)

Lachlan MacDonald (1889-1956)

Jessie MacDonald (1890-1982)

James MacDONALD (1885-1970)   m. 1928   Margaret Buchanan (1896-1985)

Margaret MacDonald

Lachlan MacDonald

[1] Lachlan had 9 siblings: Neil b. 1809; Catherine b.1811; John b.1814; Donald b. 1816; Catherine 1820-1880; Janet b. 1823; Archibald b. 1825; Duncan b. 1826; and Neil 1832-1894, who married Flora Livingstone in 1858. Neil and Flora had John 1869-1936, who married Alice Kerr in 1898 and had a daughter, Flora 1899-1982.

[2] Sarah had 4 siblings: Archibald 1850-1874; Betsy 1854-1902, who married Angus Carmichael in 1873; Jessie b. 1856; and James 1859-1879.

BUIDHEACHAS

A chionn 's gu bheil mi an comain uiread de dhaoine thar iomadh bliadhna, 's e an t-eagal a th' orm gun dìochuimhnich mi cuideigin ainmeachadh.

Tha mi le mòran taing ag iarraidh an cuideachadh airgid a fhuair sinn bho Chomhairle nan Leabhraichean ainmeachadh, agus na rinn Iain MacDhòmhnaill agus Marie C. NicAmhlaigh an sin air mo shon.

Chan e a-mhàin gun do rèitich mo bhanacharaid Eilidh Crossan an ceòl dhomh, ach chuir i seachad iomadh uair ag ullachadh an stuth airson fhoillseachadh, agus dhealbh i an clàr sloinntearachd.

An Oilthigh Dhùn Èideann, bu thoigh leam buidheachas blàth a thoirt don Ollamh Dòmhnall Meek, don Ollamh Uilleam MacGilliosa, do Raghnall MacilleDhuibh, an Dr Roibeard Ó Maolalaigh, an Dr Dòmhnall Uilleam Stiùbhart agus Ailean Dòmhnallach. Ann an Sgoil Eòlais na h-Alba mo bhuidheachas don Dr Ailean Bruford nach maireann, Dòmhnall Eàirdsidh Dòmhnallach nach maireann, Iain MacCoinnich, an Dr Iain MacAonghuis agus Peigi Lowe.

Mòran taing do mo bhanacharaid Mórag NicLeòid, a bha daonnan cho fiachail leis an eòlas shònraichte a th' aice air òrain Ghàidhlig agus air ceòl, agus a chuidich mi gu mòr leis an leabhar seo.

Mo bhuidheachas don Bharan Alasdair Mac an Lèigh an Lios Mòr airson an fhiosrachaidh air ginealachan teaghlach Mhic an Lèigh.

Nuair a bha mi a' cinntinn a-suas an Lios Mòr, thug iomadh duine dhomh ùidh ann an ceòl, òrain agus sgeulachdan. Seo feadhainn a chuidich leis an leabhar ann an dòigh air choreigin: Mairead agus Donnchadh MacGilleDhuibh, Dòmhnall MacGilleDhuibh, Seumas MacIlleDhuibh, Donnchadh MacGriogair, Catrìona NicGilleMhìcheil, Rhoda NicGhilleMhìcheil is Iain MacGilleMhìcheil, Seumas MacCarmaig, Eàirdsidh MacGilleMhìcheil nach maireann, an t-Urr. Iain MacGilleMhìcheil nach maireann, an t-Urr. Calum MacThòrcadail nach maireann agus a bhean Màiri, Maureen Crossan, Mairead Dhòmhnallach, Seumas MacCoinnich nach maireann às na Hearadh, Ailean MacPhàidein, Donnchadh Mac an Lèigh agus Daibhidh White. Taing don Chomann Eachdraidh air fad - aon neach deug a tha uile fileanta anns a' Ghàidhlig. Taing do bhanacharaid òg, Peigi NicNeacail, a bhuineas do Lios Mòr agus don Eilean Sgitheanach, a bha gam bhrosnachadh gun stad feadh nam bliadhnachan!

Ann am Muile, mo bhuidheachas do Mhàiri Mhoireasdan nach maireann agus do dh'Iain Moireasdan, Màiri NicEacharna nach maireann, Seonaidh Caimbeul nach maireann, Sìle agus Raibeart Dòmhnallach, Dòmhnall Moireasdan nach maireann, a' Bhean-phòsta NicPhàil nach maireann, Flòraidh NicIllEathain agus Alasdair MacEacharna, ann am Fionnphort.

Taing do na teaghlaichean aig piuthar agus bràithrean m' athar nach maireann: Seònaid, Lachann agus Iain, gu sònraichte Seonaidh agus an Caiptean Dùghall MacThòrcadail, Mòrag Lawrie, Nan Mhàrtainn nach maireann agus Cailean Dòmhnallach, Mòr Hazeltine nach maireann, Seumas Dòmhnallach nach maireann agus Grace NicAoidh is Iain MacAoidh.

Daoine eile dom bu thoigh leam buidheachas a thoirt: Joan NicDhòmhnaill, Iain MacLeòid, Catrìona NicilleDhuibh, Mòr Nic a' Ghobhainn, an Dr Seumas Grannd, an Dr Raibeart MacGhillAnndrais agus a bhean Maighread am Baile Chloichrigh, Murchadh Dòmhnallach (Tasglann Comhairle Earra-Ghàidheal agus Bhòid), Iain MacLeòid à Sgalpaigh, Lesley Scott-Moncreiff, Seònaid Mhoireach, Heather Gardner, Lilian agus Coinneach Morbin, Gavin Parsons, P. & D. Wellington, Ailig Iain MacLeòid nach maireann agus Dòmhnall MacThòmais nach maireann (a bha na fhear-teagaisg an Àrd-Sgoil an Òbain).

Mar bu chòir, tha mo nighean 's mo mhac, Mairead agus Seumas, glè mhoiteil às an dualchas Ghàidhlig a th' aca. Mar sin, bha ùidh aca anns an obair, agus mòran foighidinn! Agus mo bhuidheachas, a Mhairead, airson na h-obrach a rinn thu air an rèitichear-fhacal, agus do Sheumas airson rannsachadh air na Dòmhnallaich.

Taing do mo bhràthair Lachann, a bha daonnan air làimh airson mo chuimhne a bheothachadh le rann òrain no sgeulachd a bhuineadh don teaghlach. Air sgàth 's gu bheil e cho eòlach agus cho comasach le bàtaichean, bha e na chuideachadh mòr leis na h-òrain seòlaidh. Gu dearbh, chaidh sinn turas no dhà do Mhuile air a' bhàta-siùil aige, don Chrògan, do Loch Spealbhaidh, Locha Buidhe, an Sàilean agus Creag an Iubhair - àiteachan air an robh Lachann Dubh ro eòlach.

ACKNOWLEDGEMENTS

Because I am indebted to so many people over a long time, my fear is that I may inadvertently omit to thank someone.

I acknowledge with thanks the financial assistance provided by the Gaelic Books Council and the editing and typing done by Ian MacDonald and Marie C. Macaulay.

I am indebted to my friend Eilidh Crossan for the hours she spent in typing the text, over and above her skilled specialist work with the music, and for drawing the genealogical table.

In the Celtic Department of Edinburgh University I wish to express my thanks to Professor Donald Meek, Professor William Gillies, Ronald Black, Dr Rob Ó Maolalaigh, Dr Donald William Stewart and Allan MacDonald. In the School of Scottish Studies I would like to thank the late Dr Alan Bruford, the late Donald Archie MacDonald, Iain MacKenzie, Dr John MacInnes and Peggy Lowe.

My sincere thanks to my friend Morag MacLeod, who always generously shares her unique knowledge of Gaelic song and music and who has helped me with this book in so many ways.

I feel gratitude to many people in Lismore who influenced my childhood and youth and helped to shape my love of music, song and story. Thank you to the following people who have in some way helped this project: Margaret and Duncan Black, Donald Black, James Black, Cathie Carmichael, Rhoda and Iain Carmichael, James MacCormick, the late Archibald Carmichael, the late Rev. Ian Carmichael, the late Rev. Malcolm and Mrs Mary MacCorquodale, Maureen Crossan, Margaret MacDonald, the late James MacKenzie from Harris, Alan MacFadyen, Duncan Livingstone, Duncan MacGregor and David White. Many thanks are due to all eleven Gaelic-speaking members of Comann Eachdraidh Lios Mòr. One young friend who has assiduously encouraged me over the years is Peggy Nicolson of Lismore and Skye.

A special thank you is due to Baron Alistair Livingstone, Bachuil, Lismore, hereditary keeper of St Moluag's staff, for generously sharing with me his research into the Livingstone family.

In Mull my thanks are due to the late Mary and to Iain Morrison, the late Mary MacKechnie, the late Johnnie Campbell, Sheila and Robin MacDonald, the late Donald Morrison, the late Mrs MacPhail, Flora MacLean and Alasdair MacKechnie, Fionnphort.

Thank you to the families of my late aunt and uncles, Jessie, Lachlan and John, especially John and Captain Dugald MacCorquodale, Morag Lawrie, Colin MacDonald, the late Nan Martin, the late Sarah Hazeltine, the late James MacDonald and Grace and Iain MacKay.

Other people to whom thanks and gratitude are due are Catriona Black, Joan Macdonald, Dr Seumas Grannd, Dr Robert and Mrs Marguerite MacAndrew, Pitlochry, Murdo Macdonald (Argyll and Bute Council Archives), John MacLeod of Scalpay, Lesley Scott-Moncrieff, Janet Murray, Heather Gardner, Lilian and Kenneth Morbin, Gavin Parsons, P. & D. Wellington, the late Alick John MacLeod and the late Donald Thomson (Gaelic teacher in Oban High School).

My daughter Mairead and my son Seumas, who are rightly proud of their Gaelic heritage, have been supportive and interested in this project, and also extremely patient! Thanks to you, Mairead, for your work on the word-processor, and to you, Seumas, for research in Register House.

Finally, thank you to my brother Lachlan, who was always at hand to refresh my memory with a verse of a song or a family story. Because of his expertise with the sea and boats, he has been of invaluable help with nautical advice. We have made some exciting voyages to Mull in his boat: to Croggan, Loch Spelvie, Loch Buie, Salen and Craignure - the home territory of Lachann Dubh.

Maighread Dhòmhnallach Lobban

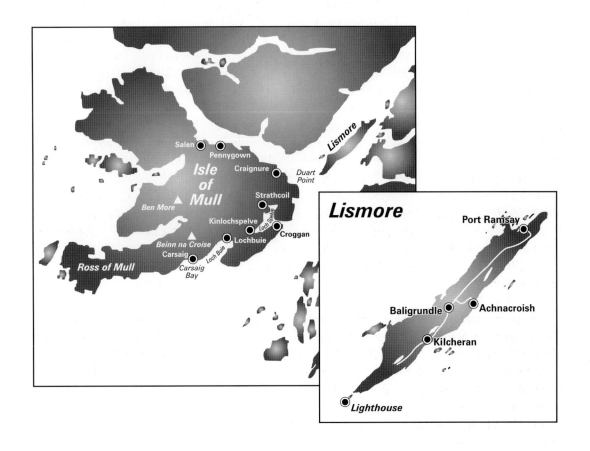

Mull and Lismore

RO-RÀDH

Bidh daoine a' faighneachd dhiom cuin a thòisich mi air na h-òrain seo a chruinneachadh agus carson a rinn mi oidhirp air leabhar a dheasachadh.

Bha mòran de na h-òrain agam gu nàdarra, gan cluinntinn bhom athair 's mi a' cinntinn a-suas an Lios Mòr. Cuimhne cho fad' air ais 's a th' agam, 's e a bhith nam shuidhe air glùin m' athar 's e a' seinn phort-à-beul dhomh, agus rann beag a rinn e dhomh fhèin. Nuair a bha e còrr is ceithir fichead, thug mi air, le duilgheadas, òrain agus sgeulachdan a chur air teip - feadhainn de dh'òrain a rinn e fhèin, feadhainn a rinn a sheanair, Lachann Mac an Lèigh, agus feadhainn a rinn a bhràithrean, Iain agus Lachann.

Còrr is fichead bliadhna air ais, sgrìobh an duin' agam, an Dr Raibeart Lobban nach maireann, pìos don *Albannach* air 'Lachann Dubh a' Chrògain and the Lismore Bards'. Sgrìobh an uair sin Comhairle nan Leabhraichean dha a' tairgsinn cuideachaidh airson leabhar a chur an clò. Ach cha do rinn e tuillidh mu dheidhinn.

Thachair mise air Mórag NicLeòid san àm san robh mi a' fuireach ann am Bearaig a Tuath agus a' teagasg chlasaichean Gàidhlig. A' chomhairle a bha aicese: "Cuir na h-òrain ann an leabhar." Ann an 1983 chaidh mi turas do Mhuile is fhuair mi òrain agus sgeulachdan bho Mhàiri NicEacharna, bho Sheonaidh Caimbeul agus bho Dhòmhnall Moireasdan nach maireann. Nuair a bha mi ag obair airson ceum anns an Roinn Cheiltich ann an Oilthigh Dhùn Èideann, fhuair mi ceithir òrain eile le Lachann Mac an Lèigh ann an Sgoil Eòlais na h-Alba. Thuirt Eilidh Crossan, o chionn deich bliadhna, dh'fhaodte, gun sgrìobhadh i an ceòl dhomh - obair nach robh idir furasta, is i ga thogail bho sheann teipeachan, bho chriomagan sol-fa agus bhuam fhèin a' seinn. Nuair a chunnaic Comhairle nan Leabhraichean an cruinneachadh, bha iad den bheachd gum biodh e freagarrach fhoillseachadh.

'S e am prìomh adhbhar agus am brosnachadh a bh' agam daonnan airson na h-òrain a chruinneachadh, agus an leabhar a chur ri chèile, nach rachadh na h-òrain air chall, mar a thachair do mhòran de na h-òrain aig bàird-baile tro na linntean anns a' Ghàidhealtachd. Is iomadh tachartas èibhinn agus inntinneach a mheal mi air tàillibh an leabhair, agus is iomadh caraid ùr a rinn mi. Tha mi 'n dòchas gun toir e uimhir a thoileachas dhutsa a tha ga leughadh.

Maighread Dhòmhnallach Lobban

FOREWORD

People have asked me when I began to collect these songs and what motivated me to have them published.

Many of the songs were a natural part of my upbringing in Lismore. One of my earliest memories is of sitting on my father's knee while he sang me *puirt-à-beul* and a song he had made for me. When he was more than eighty years old he reluctantly agreed to record a few songs and stories - some of his own, some by his grandfather, Lachlan Livingstone, and some by his brothers John and Lachlan.

More than twenty years ago, my late husband, Dr Robert Lobban, wrote an article for *The Scotsman* on 'Lachann Dubh a' Chrògain and the Lismore Bards'. The Gaelic Books Council contacted him, offering assistance in publishing a book on the subject. However, he did not pursue the offer.

I met Morag MacLeod of the School of Scottish Studies while I was living in North Berwick and teaching Gaelic classes at the local Community Centre. Her advice was to try and publish the songs in a book. In 1983 I went to Mull and met Mary MacKechnie, John Campbell and Donald Morrison - all now, sadly, passed on. They were happy to give me songs and stories about my great-grandfather, and while studying for a degree in the Department of Celtic at Edinburgh University I found four more of Lachlan Livingstone's songs in the archives of the School of Scottish Studies. Some years ago, in Lismore Manse, Eilidh Crossan kindly agreed to undertake the task of transcribing the music from old tapes, fragments of sol-fa and my own singing. When I submitted the material to the Gaelic Books Council, I was encouraged to pursue its publication.

My purpose in collecting and publishing these songs has been to save them from the oblivion that has been, sadly, the lot of so many of the songs of village bards down the centuries. In the course of preparing this book I have enjoyed many strange and interesting happenings and made many new friends. I hope the book gives as much pleasure and interest to you who may be reading it.

Margaret MacDonald Lobban

Lachann Mac an Lèigh (1819-1901)

Bho thùs ann an saoghal nan daoine Ceilteach bha cumhachd agus àite sònraichte aig na bàird. Ann an eachdraidh na h-Èireann agus na h-Alba bha iad a' cur seachad iomadh bliadhna ag ionnsachadh na bàrdachd chlasaigich. Tha e coltach gun robh am bàrd a' cuideachadh a' bheachd-smuainichidh aige le bhith dol na shìneadh anns an dorchadas is clach air a bhroinn!

A' phrìomh obair a bha aca, 's e a bhith dèanamh bàrdachd molaidh do na h-uachdarain agus don teaghlaichean. Nuair a dh'fhalbh a' chuid mhòr de na h-uachdarain agus a bha an fheadhainn a bha air fhàgail a' fàs cho bochd, dh'fhalbh an neart bho na bàird dhreuchdail. Mar sin thàinig atharrachadh mòr air bàird agus air bàrdachd tro na linntean.

A dh'aindeoin nan làithean goirt uabhasach a thàinig air a' Ghàidhealtachd le acras agus fuadach, bha daonnan meas, agus gu tric beagan eagail, aig daoine anns gach coimhearsnachd ro na bàird. Gu dearbh, tha e follaiseach gur e na bàird a bhrosnaich na daoine agus a chuidich gus a' Ghàidhlig a chumail beò.

'S e bàrd-baile a bha nam shinn-seanair, Lachann Mac an Lèigh, is e a' dèanamh òran airson a h-uile latha - na cuspairean aotrom agus na cuspairean cudromach. Òrain shunndach, aighearach agus òrain brosnachaidh air a shon fhèin agus airson nan daoine aige, a dh'fhuiling uiread de thàmailt air sgàth nan uachdaran agus na h-Eaglais Stèidhte. Ach aig an aon àm 's e bard dreuchdail a bha ann an Lachann, a' seinn cliù nan uachdaran Leathanach.

'S e duine anabarrach ann an iomadh dòigh a bha ann an Lachann Dubh a' Chrògain. Mar a thuirt e fhèin, "Is mise Lachann Dubh mac Iain 'ic Nèill". Rugadh e anns a' Chrògan ann am Muile anns a' bhliadhna 1819, agus is ann an sin a chaochail e air an treas latha den Chèitean, 1901. Nuair a bha e òg bha e a' seòladh thairis. Nuair a chuir e cùl ris a' mhuir, fhuair e obair le Cloinn GhillEathain, uachdarain Locha Buidhe. Bha e na bhàrd agus na iasgair agus na phìobaire leotha gus an d' fhàs e aosta. Tha a' phìob-mhòr a fhuair e bho fhear dhiubh againn fhathast.

Phòs Mòr, nighean Lachainn, Iain Dòmhnallach a mhuinntir Lios Mòr, agus rugadh Iain, a' chiad mhac aca, ann am Muile. Dà bhliadhna an dèidh sin, rinn iad an dachaigh anns an Òban, far an do rugadh Seumas, Lachann agus nighean, Seasaidh. Anns a' bhliadhna 1892 chaidh an teaghlach don chroit a bha aig athair Iain ann an Lios Mòr. 'S ann an seo a chaidh na h-oghaichean don sgoil agus a chuir iad seachad na làithean sona saora aca. Bha meas mòr aig m' athair, Seumas, air a sheanair, agus bhiodh e daonnan ag innseadh sgeulachdan agus a' seinn òrain Lachainn. Theireadh m' athair, "Cha robh rud sam bith dubh mu dheidhinn mo sheanar ach am falt agus an fheusag!"

Anns na làithean-saora bhiodh an teaghlach a' dol don Chrògan, agus nuair a chinn na balaich bhiodh iad fhèin a' dol ann, le trusachan mòr bìdh, agus daonnan na bhroinn bha leth-bhotal uisge-bheatha. A rèir bàrdachd agus ciùil, agus cuideachd a rèir na dòigh-beatha a bha aca - maraireachd - tha e follaiseach gun robh buaidh mhòr aig an seanair air na balaich.

Lachlan Livingstone (1819-1901)

According to our earliest knowledge of the world of the Celt, the poet occupied a central and important position. In the history of Ireland and Scotland the poet, or *filidh*, spent many years being educated in the complicated artistry of classical Gaelic poetry. To assist in his contemplation of the Muse it was customary for him, apparently, to lie in a darkened room with a stone on his stomach!

Having completed his education, he would be employed by a Chief to make panegyric songs for himself and his family on all kinds of important occasions. When the day of the Chief drew to a close, the few remaining became so poor that the day of the official paid poet mostly ended. Through the centuries the classical praise poetry changed to become the vernacular poetry of the people.

The bard, though, was still an important person in his or her own village - respected and not to be crossed, lest he or she satirise you! In the bad days of hunger and banishment they did much to strengthen their people and probably helped save their language from extinction.

Lachlan Livingstone, my great-grandfather, was a village poet making songs for local events - when he was sad and when he was happy, but always pleading for and encouraging his people when they were in despair. He was also the last of the official bards - composing praise songs for the MacLaine Chief and his family.

Black Lachie of Croggan - or, as he himself said, "Black Lachie, son of John, son of Neil" - was a colourful, controversial character. He was born in Croggan, Mull, in 1819 and died there on the 3rd of May 1901. In his youth he was at sea, sailing abroad. When he came ashore, he was employed by the MacLaines of Lochbuie as their bard, fisherman and piper. His bagpipes, which we still have in the family, were a present from one of the MacLaines.

Lachlan's daughter Sarah married John MacDonald from Lismore, and their first son, John, was born in Mull. Within the next two years they moved to Oban, where James, Lachlan and Jessie were born. In 1892 the family went to Lismore to the MacDonald croft. Here the three grandsons and their sister went to school and spent their youth. My own father, James, never tired of talking about his much loved grandfather and of telling his stories and singing his songs. "There was nothing black about him," my father used to emphasise, "except his hair and beard!"

During school holidays the family would go to Croggan, and later, when they were old enough, the boys were sent with big parcels of food in which there was always a half-bottle of whisky. This frequent contact with their enigmatic grandfather must surely have influenced the boys in their lifelong interest in music and poetry - even in their seafaring way of life.

Aon uair, nuair a bha m' athair na bhalach air làithean-saora le sheanair 's a sheanmhair anns a' Chrògan, dh'fhalbh Lachann don Òban a reic laogh. Reic e an laogh ach thill e gun mhin, gun fhlùr, gun airgead. 'S e na thuirt a bhean, "A Lachainn, cha do dh'fhàg thu riamh gun bhiadh sinn. Gheibh thu min agus flùr an ath thuras." Cha b' urrainn m' athair faighinn thairis air foighidinn a sheanmhar, neo dh'fhaodte a gaol!

Rinn Lachann fhèin iomadh turas don t-Sàilean, a tha na acarsaid mhath air an taobh an iar de Lios Mòr. Bha càirdean aig mo mhàthair a' fuireach anns an t-Sàilean - bràthair agus piuthar a màthar. Bliadhnachan air ais, dh'fhaighnich mi dhaibh dè an seòrsa duine a bha ann an Lachann. "B' e an duine bu laghaiche a thachair mi riamh air," fhreagair Dòmhnall. Thionndaidh a phiuthar air a sàil agus thuirt i le guth gu math fhèin biorach, "'S e rough diamond a bh' ann."

Coltach ris na bàird ainmeil Donnchadh Bàn Mac an t-Saoir agus Màiri Mhòr nan Òran, cha b' urrainn do Lachann leughadh no sgrìobhadh. Ach cha robh aigesan, mar a bha acasan, caraid ionnsaichte a chuireadh na h-òrain sìos an sgrìobhadh dha. Mar sin, chaidh mòran dhiubh a chall.

Tha e coltach gun do rinn Lachann mòran bàrdachd - òrain de gach seòrsa. Dh'fhaodte gur e na h-òrain aoireil a' bhàrdachd a b' fheàrr a rinn e. Nan robh e air a bhrosnachadh, bha teanga gheur, sgaiteach aige, agus mar sin bha daoine faiceallach mun cuireadh iad gruaimean air! Cha b' ann gun adhbhar a bheireadh e achmhasan, mar a chithear san dàn a rinn e don each a fhuair gabhail ris gu mì-Chrìosdail le ministear na sgìre agus òstair Taigh-Òsta Chreag an Iubhair. Ach mar bu trice bha an èisgeachd ciùin, aighearach, mar a gheibhear anns an òran 'Bàta Mhaol-Dòmhnaich'.

Air an làimh eile, chan eil sgeul a' mhinisteir a bha na bhantraich cho ciùin. Chaochail a bhean agus ann an ùine glè ghoirid bha tè ùr òg aige às an Eaglais Bhric. Thadhail iad aig taigh Lachainn a dh'innseadh gu robh iad a' fàgail a' Chrògain agus a thoirt comhairle air gun a bhith ag òl cus uisge-beatha. Am measg mòran eile, thuirt Lachann ris a' mhinistear, "Tha a' bhean òg agad brèagha. An dèan sinn suaip?" Bha bean Lachainn dlùth air a' cheithir fichead!

A rèir m' athar, tha e coltach gun robh Lachann fhèin math air searmonachadh. Anns na h-Eileanan bha iad gu tric am feum air *lay preacher*. Chuir iad fios air Lachann aon uair airson tiodhlacadh a ghabhail. Aig an ùrnaigh mu dheireadh chaidh e sìos air a ghlùinean agus chùm e air ag ùrnaigh airson ùine mhòir. Bha an sneachda tiugh air a' ghrunnd. Mu dheireadh thall, dh'fhosgail e a shùilean. Cha robh duine beò sa chladh ach e fhèin!

Bha e sònraichte toigheach air beathaichean. Gheibh sinn dearbhadh air a seo anns an dàn 'An t-Each Bàn,' agus a-rithist anns an sgeulachd mu dheidhinn cù Lachainn agus an aon not airgid a bha anns a' Chrògan.

As a young boy, my father was once staying with his grandparents in Croggan. His grandfather went to the Oban sales to sell his calf. He sold the calf but came home without meal or flour or money. To the great amazement of my father, his grandmother said, "Don't worry, Lachie, we'll manage - we've never gone hungry."

In his own fishing-boat Lachlan seems to have made frequent visits to Salen, which is a good anchorage on the west side of Lismore. My mother's aunt and uncle lived there, and many years ago I asked them about Lachann Dubh. "He was the nicest man I ever met," said Donald. His rather autocratic sister interrupted with "He was a rough diamond."

Like the famed Duncan Ban Macintyre and Mary MacPherson of Skye, Lachlan was unable to read or write, but, unlike them, he lacked a scholarly friend to commit his songs to paper. As was noted in the *Oban Times* obituary, even by the time of his death many of his songs had been lost.

He was, it seems, a prolific composer of songs of all kinds, but the satirical verse is perhaps the most vivid. So sharp and scathing was his tongue, if he were provoked, that people were wary of incurring his displeasure! Usually, though, the invective was used with just cause, as in a poem about a minister who cruelly abused a horse. More often the satire was gentle and humorous, and an example of this is the song about Ludovic's badly built boat.

But the story about the widowed minister who got a new young wife in great haste is not quite so gentle. When the minister came to visit, Lachlan asked if they could swap wives. Lachlan's own wife was then close to eighty years of age!

According to my father, Lachlan was sometimes asked to act as a lay preacher. On one winter occasion he was conducting a funeral service. The wind was howling and the snow thick on the ground. His last prayer was exceptionally long. When at last he stopped and opened his eyes, there was no one in the cemetery but himself!

His love of animals was very strong. There is evidence of this in the poem about the white horse and in an amusing story about his dog and the only pound note in Croggan.

Lachann Dubh's daughter, Sarah Livingstone,
with her husband, John MacDonald, c. 1882.

Nuair a thigeadh Lachann dhachaigh gach feasgar, bhiodh an cù ga choinneachadh. Ach am feasgar seo, ged a rannsaich Lachann anns gach pòca, cha robh nì aige don chù. Cha robh na phòca ach tuarastal na seachdain, aon not Sasannach. Shìn e an not don chù, agus ann am prioba na sùla bha e thar nan cnoc is an not na bheul! Chunnaic bean Lachann dè thachair agus thog i oirre a' ruith agus i glaodhaich, "An aon not a tha sa Chrògan a-nochd!"

Gun dàil bha na coimhearsnaich air fad nan deann-ruith a' lorg a' choin. Mu dheireadh thall thill iad uile do thaigh Lachainn, gun chù gun airgead. Bha Lachann na shuidhe aig an teine a' smocadh, an cù aig a chasan agus an not air a' bhòrd! Mar sin chan eil e na iongnadh sam bith gun robh clann deònach a bhith na chuideachd. Seo cuid de litir a fhuair m' athair bho dhuine anns an t-Sàilean ann am Muile ann an 1935.

An sgrìobh thu dhomh 'Òran Ceidhe a' Chrògain'? Bha e air a dhèanamh le mo charaid còir Lachann Mac an Lèigh, Bàrd a' Chrògain, agus an latha a rinn e e bha mi nam shuidhe leis air a' chreagan fon chroit. Bha sin air madainn Didòmhnaich. Bha mo phàrantan anns an eaglais ach shuidh mise le Lachann.

Bha litir ann cuideachd bho bhoireannach ann an Sasainn a' cuimhneachadh air na làithean-saora aice anns a' Chrògan nuair a bha i na pàiste. Bhiodh i a' dol air chèilidh do thaigh Lachainn agus bhiodh esan a' gabhail òran agus ag innseadh sgeulachdan.

Dh'fhaodte gur e sgeulachdan nan sìthichean a bha e ag innseadh! Dh'innis m' athair dhomh mar seo:

Thàinig ollamh don Chrògan a rannsachadh eòlas air aillse. Aig a' choinneimh anns an Talla leum Lachann air a chasan agus thuirt e, "Is e ollamh foghlamaichte a tha umadsa. Bha sinne air ar togail a' creidsinn anns na sìthichean. An e an fhìrinn no breugan a bha iad a' teagasg?" Ged a bha na bodaich eile a' glaodhaich, "Suidh a-sìos, a Lachainn Duibh," thuirt an t-ollamh, "Innis dhomh d' ainm agus d' àite-còmhnaidh, agus a-màireach tadhlaidh mi ort."

Gu mì-fhortanach, chan eil fhios againn dè a thachair an ath latha. Carson a chuir Lachann a' cheist? An ann airson spòrs no foghlam? Dh'fhaodte gun robh e a' fàs sgìth den òraid. Tha mi fhèin a' smaoineachadh gun robh e a' rannsachadh airson fhreagairtean mu dheidhinn nan sìthichean.

Thàinig litir inntinneach gu *Tìm an Òbain* ann an 1920. Tha Eòghainn MacDhùghaill a' cuimhneachadh mar a bha e fhèin, 's e na bhalach, aig banais mhìorbhaileach anns a' Chrògan (mu 1850), agus b' e Lachann Dubh am pìobaire a bh' aca. ('S iongantach mura robh Eòghainn càirdeach do dh'fhear na bainnse, Dùghall MacPhàil, a rinn 'An t-Eilean Muileach' agus a bha na cho-ogha do Lachann Dubh.) Seo eadar-theangachadh air mar a nochd sa phàipear air 17 Giblean 1920:

This is how my father told the story. One evening, when the dog, as usual, came rushing to welcome home his master, Lachie searched his pockets for a tasty reward, but his pockets were empty except for one pound note, his week's wages. He handed the pound note to the dog, who took off with it at high speed over the hills. Lachie's wife, who had been waiting for him at the door, started running and shouting, "The only pound note in Croggan tonight!"

Soon the neighbours joined her in hot pursuit of the dog. Eventually, tired and dispirited, they all returned to the house without dog or money. There was Lachie sitting at the fire smoking his pipe, the dog at his feet and the pound note on the table! It is not surprising, then, that children enjoyed his company. This is an extract from a letter written to my father in 1935 by a man from Salen, Mull:

> Would you write me the Croggan Pier song? It was made by my dear old friend Lachie Livingstone, the Croggan Bard, and the day he made it I was sitting beside him on the creagan below his croft. That was on a Sunday and my parents went to church, but I sat with Lachie.

There was also a letter from a lady in England telling of her childhood memories of holidays in Croggan. She had been a frequent visitor to Lachlan's cottage, where he would sing her his songs and tell her his stories.

Perhaps they were fairy stories. My father told me a story about a visiting medical professor researching cancer who had held a public meeting in Croggan. At some point during the evening Lachlan had stood up and said, "You are a learned professor. Can you tell me if there is any truth in the story that fairies exist? We have been brought up to believe in them."

Despite shouts of "Sit down, Black Lachie," the professor asked what his name was and where he stayed. "Tomorrow," said the professor, "I will visit you and we will discuss it." Unfortunately, my father did not know the end of the story. Did Lachlan do this for mischief? Was he bored with the lecture? Or was it a genuine interest in fairies?

The following letter paints a unique picture of a wonderful Croggan wedding (about 1850), in which Lachann Dubh, as the Highland piper, plays an important role. The letter was published in the *Oban Times* on 17th April 1920 and was from Hugh MacDougall of Victor Harbor, South Australia, who had been at the wedding when he was a boy. (Hugh was probably related to the bridegroom, Dugald MacPhail, who composed 'An t-Eilean Muileach' and who was a cousin of Lachann Dubh.)

Bha fear na bainnse na dhuine làidir cnagach is falt cho dubh ri sgiath an fhithich a' tuiteam na chuaileanan air a ghuailnean, dearbh choltas duine de Chlann 'IcPhàil Ghleann Forsa … agus b' e Peigi àilleag na dùthcha. Anns a' mhadainn sheinn Lachann Dubh a phìob air taobh a-muigh an taighe agus choisich gach neach na trì mile gu Ceann Loch Spealbhaidh, far an robh am ministear.

Tha deagh chuimhne agam a' mhoit a bh' ormsa gun d' fhuair mi falbh; b' e mo chuid-sa am pige uisge-beatha a ghiùlan, agus b' iomadh rabhadh a fhuair mi gun a bhristeadh. Air a' chaismeachd fhada, bhathar a' dannsa an dràsta 's a-rithist, agus chaidh blasad air na bha sa phige. Chluich Lachann Dubh aig ceann na sreath mar a b' fheàrr a b' urrainn dha.

Choinnich am ministear sinn aig cachaileith na h-eaglais, agus an dèidh làmhan a chrathadh agus drama a ghabhail, chaidh e gu sunndach don dannsa, oir bu Ghàidheal gu chùl e fhèin, Aonghas Mac an t-Saoir, fear a mhuinntir Thobar Mhoire.

Chaidh a' chàraid a phòsadh mar bu chòir agus chaidh ullachadh airson tilleadh, ach rinneadh dannsa uair eile air an raon aig an eaglais anns an deach am ministear a-rithist, agus an uair sin ghabhadh deoch an dorais a bheagaich gu ìre mhath air na bha sa phige, agus rinn sinn caismeachd tron chachaileith às dèidh Lachainn Duibh is e air "Gabhaidh Sinn an Rathad Mòr" a chur suas.

Bha feust a' feitheamh oirnn san taigh, agus an uair sin tuillidh dannsa – agus chuir sin crìoch air a' bhanais a b' fheàrr a chunnaic mi riamh.

Faodar coimeas a dhèanamh eadar Lachann agus Màiri Mhòr nan Òran - Bàrd an Land League, mar a their cuid. Rinn an dithis òrain do na h-uachdarain aca, ach bha dreuchd bàird aig Lachann. Bha iad fortanach le chèile uachdarain a bhith aca a bha na bu Chrìosdaile na a' mhòr-chuid ann an linn èis is fuadaich. Fhuair Màiri Mhòr taigh bho Lachann Dòmhnallach an Eilein Sgitheanaich, agus fhuair Lachann taigh bho MhacGhillEathain Locha Buidhe. Ach a dh'aindeoin sin bha iad a' càineadh nan uachdaran anns na h-òrain.

Bha mi glè thoilichte nuair a fhuair mi 'Òran an Land League' le Lachann Dubh. Tha e glè inntinneach. B' e a' bhliadhna 1885, agus fhuair Dòmhnall MacPhàrlain don Phàrlamaid às leth nan croitearan. Tha Lachann ag ùrnaigh airson nan daoine bochda ann am Muile is an Earra-Ghàidheal gu lèir, a bha air an sàrachadh coltach ri tràillean, agus e a' guidhe gun cuidich MacPhàrlain iad.

Dh'fhuiling Màiri Mhòr nan Òran agus Lachann bròn agus sàrachadh le chèile cuideachd. Chaill Màiri dà phàiste agus chaill Lachann a dhithis mhac òg ann an tubaistean bàthaidh. Bha Màiri anns a' phrìosan agus, a rèir Dhòmhnaill Mhoireasdain nach maireann, bha Lachann an cunnart dol don phrìosan airson nam beachdan ceannairceach poilitigeach a bh' aige.

The bridegroom was a strong sturdy man with jet black curly hair falling in ringlets over his shoulder: he looked a perfect specimen of the MacPhails of Glen Forsa ... and Peggy was the belle of the country. In the morning Lachlan Dubh played his pipes outside the house and all marched three miles to Kinlochspelvie where the minister lived.

I well remember how proud I was to be allowed to go; my part was to carry the jar of whisky and many a caution I got not to break it. On the long march, dancing was carried out now and then and the contents of the jar were sampled. Lachlan Dubh played his level best at the head of the march.

The minister met us at the gate of the church and after shaking hands and taking a dram he joined heartily in a dance, for he was a Highlander of the Highlands, Angus MacIntyre, a native of Tobermory.

The marriage knot was duly tied and preparations made for the return journey, but another dance took place on the lawns of the kirk in which the minister again joined, and then deoch an doruis which lightened the contents of the jar considerably and Lachlan Dubh marched through the gate playing "Gabhaidh Sinn an Rathad Mòr" ("Let Us Take the High Road").

A feast was waiting at home and then more dancing - and so ended the greatest wedding I have ever seen.

Parallels can be drawn with Lachann Dubh's life and that of his contemporary, Mary MacPherson, sometimes thought of as the Land League poet. Mary MacPherson suffered the heartbreak of losing two children and Lachlan's two sons were lost in drowning accidents in their early twenties. Both poets composed songs for their landlords, but in Lachlan's case it would be his official duty to do so. They were fortunate in knowing landlords who were more humane than many at this time of famine and eviction. Mary was given a rent-free cottage by Lachlan MacDonald of Skye, and so was Lachann Dubh by his employer, MacLaine of Lochbuie. This did not prevent their denouncing the cruelty and neglect of most of the landlords of the time.

In one song Lachann Dubh reveals the terrible plight of the people and prays that the newly elected Member of Parliament, Donald MacFarlane, will be able to help them. He denounces the landlords who have treated the people like slaves. The politicians have now become heroes of the kind found in the old heroic poems. Mary MacPherson was imprisoned and, according to the late Donald Morrison of Mull, Lachlan Livingstone had been threatened with imprisonment because of his political beliefs and anti-establishment songs.

Cuideachd, coltach ri Màiri, bha e comasach air spòrs a thionndadh air fhèin, mar a chì sinn anns a' cheathramh aotrom seo:

Dh'fharraid i mo shloinneadh dhiom,
'S thuirt mise, "Mr Livingstone,"
'S gur h-e na bh' aic' de choire dhomh
Gun robh mi goirid, màgach.

Sgrìobh Daibhidh MacGhilleMhìcheil bho Nigeria do *Thìm an Òbain* ag iarraidh eòlas mu dheidhinn Lachainn. B' e Daibhidh ogha Betsy, an dàrna nighean aig Lachann. Seo am freagairt a sgrìobh Aonghas Mac an t-Saoir nach maireann, ùghdar à Muile, air ais dha:

Mo bheachd air buadhan Lachainn - bha Gàidhlig Mhuile sònraichte math aige, labhairt gheur shoillseach, agus e comasach air iomadh seòrsa bàrdachd a dhèanamh am badaibh nam bonn air cùisean agus muinntir a dhùthcha fhèin. Bhuannaich seo dha urram agus gaol na coimhearsnachd gu lèir.

Bha beul-aithris ann am Muile daonnan a' cumail a-mach gum buineadh Lachann don Dr Daibhidh Mac an Lèigh. 'S e Niall Mac an Lèigh a bha air seanair Lachainn, agus thàinig esan à Ulbha, far an do rugadh Niall Mòr agus Niall Beag, seanair agus athair an Dotair urramaich. Tha fiosan mun seo san alt a nochd an *Tìm an Òbain* fon ainm 'Highland Ancestors of Dr David Livingstone' air 14 Màrt 1963. (Tha altan ann cuideachd air Dòmhnall Molach agus air Niall a bhràthair, a bu sheanair don Dr Mac an Lèigh.)

Mar Ghàidheil tha sinn moiteil air cho làidir 's a tha ar beul-aithris, ach tha e math sealladh fhaighinn air Lachann Mac an Lèigh bho neach a bha beò aig an aon àm. Tha seo againn bho chlàr-innsidh nam marbh an *Tìm an Òbain*, 25 Cèitean 1901.

Bàs Lachainn Mhic an Lèigh
Bàrd a' Chrògain

Le bàs Lachainn Mhic an Lèigh, seann Bhàrd a' Chrògain, tha pearsa air siubhal air an robh eòlas mòr air feadh taobh an iar na Gàidhealtachd fad nan leth-cheud bliadhna a dh'fhalbh. Bha e às an àite fhèin, agus bha e ri maraireachd fad ùine mhath, agus an uair sin airson mòran bhliadhnachan na iasgair aig Uachdaran Locha Buidhe, is tro fhialaidheachd-san bha taigh aige sa Chrògan far an robh e na sheann aois agus far an do shiubhail e.

Bha Lachann Dubh, mar a b' eòlaiche a bhathar air, den fhìor ghnè de Bhàrd a bha am measg luchd-leanmhainn a' Chinn-chinnidh Ghàidhealaich. Bha comas dèanamh rann aige nach bu bheag, ach gu mì-shealbhach chaidh mòran de na dàin bhinn aige a chall. Tha mòran de na h-òrain aige, is gu h-àraidh an fheadhainn a tha a' moladh eilean a bhreith, a' nochdadh fìor spiorad na bàrdachd anns an dòigh anns a bheil e a' cur an cèill buaidh

An endearing facet of Lachlan's character was his ability to laugh at himself. On being turned down by a girl-friend, he once said (I translate):

She asked me my surname,
And I said, "Mr Livingstone,"
And the only fault she could find with me
Was that I was short and squat.

When a great-grandson from Nigeria, David Carmichael (grandson of Lachlan's daughter Betsy), wrote to the *Oban Times* in 1971 asking for information about Lachlan's talents, this was what the late Angus MacIntyre of Tobermory said in his reply:

My analysis of Lachlan's assets: a wonderful command of Mull Gaelic, sparkling wit and ability to compose extempore verses about local personalities and events. These assets earned him the respect and affection of the whole community.

Oral tradition in Mull has always maintained that Lachlan Livingstone was related to the famous Dr David Livingstone. Lachlan's grandfather was certainly called Neil Livingstone, and he was supposed to have come from Ulva. There was an interesting article about the Livingstones in the *Oban Times* of 14 March 1963 entitled 'Highland Ancestors of Dr David Livingstone.' (There are also articles about Donald Molach and his brother Neil, who was Dr David Livingstone's grandfather.) I got these articles from Sheila and Robin MacDonald. Robin is the son of the late Dr Flora Livingstone and Dr Reginald Macdonald, Mull. Flora's grandfather, Neil, was Lachann Dubh's brother.

Though as Gaels we are proud of our oral tradition, it is reassuring and interesting to have corroboration of Lachlan Livingstone's life from a contemporary's perspective. We have this in the *Oban Times* obituary, 25th May 1901.

Death of Lachlan Livingstone
The Croggan Bard

By the death of Lachlan Livingstone, the aged Bard of Croggan, there has passed away a personality well known over the West Highlands for the past fifty years. A native of the district, he followed a sea-faring life for a considerable period, afterwards being for many years fisherman to the Laird of Lochbuie by whose generosity he had a home at Croggan where he spent his declining years and where he died.

Lachann Dubh, as he was familiarly called, was a true type of the Bards attached to a Highland Chief's retinue. His powers of versification were considerable but unfortunately many of his lyrical compositions are irretrievably lost. Many of his songs, especially those in praise of his native island, betray the true bardic instinct in the sentimental response his feelings

dhrùidhteach maise nàdair air fhaireachdainnean. Rinn e luinneagan gun àireamh air cuspairean ionadail agus chan eil mòran dhiubh air sgeul no air chuimhne ach dìreach criomagan.

Rinn e òran air a bheilear glè eòlach, 'Dòmhnall an Dannsair', agus cuideachd rannan sunndach a' luaidh air cho math agus a bha an *Clydesdale* mar bhàta: tha maraichean eòlach orra sin. Mar fhìor bhàrd sam bith, dh'fhaodadh e a bhith gu ìre guineach is searbh nuair a ghabhadh e oilbheum, agus bha gu leòr aig an robh adhbhar aithreachais ma dh'fhàg iad mì-thoilichte e is gun do dh'aoir e iad am measg an coimhearsnach. Bha cumhachd làidir is neo-àbhaisteach an fhìor bhàird aige cuideachd ann an gearradaireachd, a chuireadh e ann an cainnt sgaiteach gun strì. Gu deireadh cùise bha e a' sealltainn air MacGhillEathain Locha Buidhe mar fhear-taice ann an dàn molaidh air a bheilear glè eòlach san sgìre.

Shiubhail e air an treas latha den mhìos seo an dèidh a bhith tinn ùine ghoirid, is e aois mhòr, 84 bliadhna. Chaidh a thiodhlacadh ann an Seann Chladh Chill Eòin. Ghiùlaineadh a' chiste air guailnean choimhearsnach is charaidean chun na tràigh fo bhaile a' Chrògain is pìobaire an Uachdarain air an ceann – Màidsear na Pìoba MacPhàil, a b' àbhaist a bhith anns na 93rd Highlanders, a' seinn pongan milis 'The Flowers of the Forest' air an inneal-chiùil a bha gràdhach aig a' Bhàrd nach maireann agus air nach robh e fhèin gun dheagh chomas.

Thugadh an t-Uachdaran agus mòran den tuath tarsainn Loch Spealbhaidh chun a' chladaich thall ann an grunn bhàtaichean, am fonn tiamhaidh a-nis air atharrachadh gu 'The Land of the Leal'. An dèidh do sheirbheis Ghàidhlig a bhith air a cuartachadh aig an uaigh, chaidh Lachann a chàradh anns an ùir bheannaichte anns a bheil mòran ghinealach de Chloinn an Lèigh nan laighe, is nam measg, bidh e glè choltach, cuid de shinnsirean an Dr Daibhidh Mac an Lèigh, Fear-siubhail ainmeil Afraga, is feadhainn de chàirdean fad'-às fhèin air am fàgail anns an sgìre fhathast.

Tha Seann Chladh Chill Eòin air leth ùidheil. Bha an eaglais uile-gu-lèir Ceilteach uaireigin, is sgìrean Loch Spealbhaidh is Thorrasa gu h-iomlan ceangailte rithe is fo shealbh Eilean Ì. Tha mòran de chlachan snaighte àlainn sa chladh a tha air fulang fo chreachadh Tìm, is e do-dhèanta a' mhòr-chuid den sgrìobhadh a tha orra a leughadh. 'S fhurasta do Cheilteach a sheasas san t-Seann Chladh a thuigsinn, ann am mòralachd an t-seallaidh a tha ga chuartachadh – is solas latha samhraidh ga ghlòrachadh – carson a chaidh Bràigh Mhuile a mholadh cho tric ann an dàin le bàrd às dèidh bàird de bhàird Mhuile, oir ann an àilleachd chan eil coimeas na sgìre seo ann an Eilean Mhuile gu lèir.

make to the beauties of nature. His local ditties were countless and few are now preserved or remembered, except in a fragmentary condition.

A well known song 'Dòmhnall an Dannsair' was composed by him as also some swinging verses in praise of the steamer *Clydesdale's* seaworthy qualities which are well known among mariners. Like all true Bards, he could be caustic and bitter to a degree when offended and many individuals had cause to rue the hour when they incurred his displeasure and were made objects of satire to their neighbours. He was also possessed of the rare power of true Bardic repartee which he could easily clothe in incisive language. To the last he looked upon MacLaine of Lochbuie as his patron in an Eulogy well known in the District.

He passed away on the 3rd instant after a short illness at the advanced age of 84 years. His remains were interred in the Old Churchyard of St John, locally known as Killean, which is a corruption of Cill-Eòin. The coffin was carried shoulder high by neighbours and friends to the beach beneath the village of Croggan preceded by the Laird's piper - Pipe Major MacPhail, late of the 93rd Highlanders wailing forth the sweet strains of 'Flowers of the Forest' upon the instrument which the dead Bard loved and could play not unskillfully.

The Laird and many of the tenantry were conveyed across Lochspelvie to the further shore in several boats, the mournful strains being now changed to 'The Land of the Leal'. After a Gaelic service had been conducted at the graveside, Lachlan was laid to rest in the sacred dust where many generations of Livingstones lie, among whom were, no doubt, some of the ancestors of Dr David Livingstone the famous African Explorer, distant relations of whom still linger in the district.

The Old Churchyard of St John is exceedingly interesting, having once been a purely Celtic Church, the whole of the neighbouring districts of Lochspelvie and Torosay being attached as private property to the Abbey of Iona. In the graveyard are many beautifully carved stones which have suffered greatly from the ravages of time, the inscriptions being in great part illegible. Standing in the Old Churchyard a Celt can easily perceive in the grandeur of the scenery which lies all around - glorified in the light of a Summer's day - the reason why Bràighe-Mhuile has been so much celebrated in song by the successive Mull Bards, this district being incomparably the most beautiful part of the Island of Mull.

An Rìbhinn Lurach

"'S e na dh'fhuiling mi de thàmailt/a thug mo bhàrdachd beò," thuirt Màiri Mhòr nan Òran. Nach ann mar sin a tha bàrdachd a' bualadh air iomadh bàrd airson na ciad uair. Tha e coltach gur e goirteas cridhe a thug air Lachann òg an t-òran gaoil seo a chur ri chèile.

Seo pìos bho litir a fhuair m' athair, Seumas Dòmhnallach, à Sasainn ann an 1930:

> Bha m' athair, nuair a bha e na bhalach, air làithean-saora agus a' fuireach ann an taigh-òsta an t-Sàilein aig faidhear nan each. Dh'èirich stoirm, agus cha b' urrainn do Lachann Mac an Lèigh faighinn dhachaigh don Chrògan. Ghabh searbhanta a chùram, agus anns a' mhadainn sheinn e dhi an t-òran seo.

Bho chionn ghoirid fhuair mi beul-aithris Mhuile air an òran bho Alasdair MacEacharna, nach robh ach beagan eadar-dhealaichte bhon litir à Sasainn. Seo mar a thuirt esan:

> Thuit Lachann ann an gaol le nighean bhòidheach a chunnaic e a' deasachadh bìdh ann an taigh-òsta an t-Sàilein aig faidhear nan each. Dh'iarr e oirre gealladh-pòsaidh agus uaireigin an dèidh sin rinn e an t-òran seo.

Fhuair mi an t-eadar-theangachadh Beurla bho Mhàiri NicEacharna am Bun Easain ann an 1983. Bha Màiri ceud bliadhna dh'aois air a' cheathramh latha den Iuchar an 1998. Dh'innis i dhomh gun do rinn Lachann 'An Rìbhinn Lurach' do phiuthar a màthar, dam b' ainm Màiri Chaimbeul.

Tha an t-òran a' leigeil fhaicinn dhuinn mar a tha a' bhàrdachd aig Lachann a' dol a chinntinn. Cha mhòr nach eil snaoim de gach cuspair na lùib - gaol, dùthaich, moladh, aoireadh, marachd, sealgaireachd, gaisge, beathaichean agus creideamh. An aon rud cudromach dha nach eil fhathast ri fhaicinn, 's e poileataigs. Fhuair mi an t-òran ann an Sgoil Eòlais na h-Alba, air a sheinn le Alasdair MacGhillEathain à Muile (SA1953/109).

The Sweet Maiden

"It was all the humiliation I suffered/which brought my poetry into being," said Mary MacPherson of Skye. Pain and suffering are often the catalyst for a bàrd's first venture into verse. The bitter-sweet pain of frustrated love was the inspiration for Lachlan's first song.

In 1930 James MacDonald got a letter from a man in England. He wrote:

> My father, as a little boy, was staying in the Salen Hotel during the Salen horse fair when a storm blew up and Lachlan Livingstone couldn't get back to Croggan. A servant took care of him for the night. In the morning he took her hand and sang her this song.

Recently I got a version of the song's origin, from Alasdair MacKechnie in Mull, which is almost identical to the Englishman's story:

> In the Salen Hotel at the Salen horse fair Lachlan saw a lovely girl preparing the food. He fell in love with her, asked her to marry him and some time later composed 'An Rìbhinn Lurach.'

In 1983 I got this English translation from the late Mary MacKechnie of Bunessan, Mull, who celebrated her 100th birthday on 4th July 1998. She said that Lachlan had composed the song for her aunt, a Mary Campbell.

This first song gives us a glimpse of Lachlan's future poetry. There is a strand of almost every genre woven into its verses: love, land, panegyric, satire, boats, animals, hunting and scripture - but not yet politics. I found a recording of the song in the archives of the School of Scottish Studies, sung by Alexander Maclean of Mull (SA1953/109).

An Rìbhinn Lurach

An tèid thu leam, a rìbhinn lurach?
Am falbh thu leam, a rìbhinn lurach?
Tiugainn, tiugainn do Bhràigh Mhuile,
'S cha bhi cunnart dhuit no fàillinn.

Tiugainn leam don àite lurach
Nach eil a leithid anns a' Chruinne,
Taobh a' chaoil sam bi na luingeis,
Speuran a' mhullaich mar sgàthan.

Daoimean anns gach àit' a' deàrrsadh,
'M bun nan cnoc 's am bàrr nan slèibhtean -
Thug e bàrr air tìr na h-Èipheit
'S gu lèir air talamh Chanàain.

Tha gach meas ann 's tha gach luibh ann,
Tha gach nì nì feum do dhuin' ann -
Mèinnean òir am bun gach sruthain
A' boillsgeadh mar rionnaig a' deàrrsadh.

Biolair ann am bun gach fuarain,
Eilid anns a' ghleann 'n taobh shuas dheth -
'S tric a bha mi greis ga ruagadh,
'S bhiodh i buailt' mun cluinnt' an làmhach.

Mharbhainn coileach dubh is ròn dhuit,
Tàrmachan is damh na cròice,
Ach ma thèid thu leam don Chrògan,
A chaoidh rid bheò chan iarr thu fhàgail.

Stiùirinn bàta ri sruth lìonaidh,
Ged an robh a' mhuir na sìoban,
Nuair bhiodh luchd nam breacan grìseann
'S iad nan sìneadh air a clàraidh.

Stiùirinn bàta ri sruth fuaraidh
Fhad 's a dh'fhanadh clàr an uachdar,
'S gheibh thu dearbhadh san Leth Uachdrach
Nach sgeul tuaileis tha mi 'g ràdh riut.

Tha thu ro mhath air an ùrlar
Dol tarsainn anns an ruidhle dhùbailt';
'S gura math a thig an gùn duit
Ann am fasan ùr na Banrigh.

Tha d' fhalt dualach 's tu ga chìreadh,
Fiamh an òir dheth mu na cìrean,
'S leis a' ghaol a thug mi fhìn dhuit,
Leig mi air dìochuimhn' na h-àithntean.

Mhoire, 's i mo ghaol a' mhaighdeann
A tha còmhnaidh ann an Caoimhnis!
Cha tèid mise dh'Àth an Tùim leat
Mur toir thu le snaoim do làmh dhomh.

Mhoire, 's i mo ghaol an ainnir -
D' fhalt dualach na mhìle camag,
Do dhà ghruaidh mar ròs air mheangan,
Beul cho meachair 's bhon tig gàire.

Troigh chuimir am bòtainn thana
Nach lùb am feòirnean air faiche;
Calpa ghrinn air dhealbh a' bhradain
A dh'èireas ri caisil on t-sàile.

Chan iarrainn leat crodh no caoraich,
Òr no earras - chan e dh'aom mi -
Nam faighinn le còir 's le saors'
Bho Aonghas Mac an t-Saoir air làimh thu.

Mura biodh mo cheann air liathadh,
'S gun mi chòir bhith fichead bliadhna,
Bu tu m' aighear 's b' e mo mhiann thu
De na thàinig riamh bho Adhamh.

The Sweet Maiden

Refrain
Will you go with me, sweet maiden?
Won't you come with me, sweet maiden?
Come away, come away to Upper Mull
Where neither danger nor loss will befall you.

Come with me to that lovely place
Which has no counterpart in the world,
Beside the Sound where sail the vessels,
The skies above mirrored below.

Diamonds in each place are gleaming
At the foot of hills and on the
    mountainside -
It surpasses the land of Egypt
And the entire land of Canaan.

Every fruit and plant abounds there,
Every crop which man requires there -
Gold-mines in the beds of streamlets
Shine like stars gleaming from on high.

Watercress in every fountain,
The hind is grazing high beyond -
Often I've spent my time hunting;
She'd be stricken before the volley
    was heard.

I would kill for you a blackcock and a seal,
A ptarmigan and the antlered stag,
But if you come with me to Croggan,
Never in your life will you want to leave.

I could steer a boat against the flood-tide
Even with spindrift raging over the sea,
When the be-tartanned folk had turned pale
And stretched themselves out on her boards.

I'd steer a boat against the current
As long as any freeboard remained:
You will find proof of this at Leth
    Uachdrach -
It is indeed no idle tale.

You are very good on the dance floor
Crossing over in the double reel,
And well does your gown become you
In the fashion of the Queen.

Your hair is curly as you comb it,
Shades of gold around the combs;
And because of the love I have given you,
I have neglected the commandments.

O Mary, my sweetheart is the maiden
Who is living in Caoimhnis!
I will not go to Àth an Tùim with you
Unless I have your hand in marriage.

O Mary, my love is the maiden -
Your curly hair in a thousand ringlets,
Your two cheeks like roses on a branch,
Your mouth so sweet and ever laughing.

A shapely foot in dainty footwear
Which would not disturb a blade of grass
    in the meadow;
A fine calf shaped like a salmon
Which rises with a ripple from the sea.

With you I'd ask not sheep nor cattle
Nor any riches - they do not attract me -
If I could as of right and openly
Obtain your hand in marriage
    from Angus MacIntyre.

If my head had not turned grey,
Though I have not yet reached the age
    of twenty,
You'd be my joy and my desire
Of all those who are descended from Adam.

Ma Phòsas Mi, Cha Ghabh Mi Tè Mhòr

Fhuair mi an t-òran seo bho Dhòmhnall Moireasdan nach maireann, a bha a' fuireach anns an t-Sàilean, am Muile. Dh'aithris e na facail le tomhais gu math luath. Bha an t-òran air a chlàradh le Sgoil Eòlais na h-Alba bhon t-seinn aig Nan Eachainn Fhionnlaigh à Bhatarsaigh (SA1958/53).

Chaidh am bàrd don phàrtaidh agus e an dòchas gum biodh a leannan anns a' chuideachd. An e seo an rìbhinn lurach no tè eile? Cha robh ùidh sam bith aige anns na caileagan eile leis na dreasaichean brèagha. Cha bhiodh e ann idir ach gun do dh'òl e cus uisge-beatha.

Feumaidh gun robh a leannan beag snog, seach gu bheil e a' cur an urras nach pòs e gu bràth tè mhòr. Tha fhios againn nach robh Lachann e fhèin ro mhòr, ach, mar a thuirt Seonaidh Caimbeul à Bun Easain rium, "Bha e pearsanta, le falt dualach dubh a-sìos air a ghuailnean."

Sèist
Ma phòsas mi, cha ghabh mi tè mhòr,
Cha phòs 's cha taobh 's cha ghabh mi tè mhòr;
Ma phòsas mi, cha ghabh mi tè mhòr -
Gur beag an tè dh'fhòghnas dhòmhsa.

Gun deach mi don *raffle* le casag* gun chùl,
Ri oidhche gun ghealach gur beag dàil mo shùil;
'S cha robh mi ga ghearain ged chosgainn ris crùn
Nam faicinn mo rùn sa chòmhdhail.

Bha na nigheanan uil' air an dreasadh gu grinn,
Le sìoda gam mountadh 's gun cluinninn a shrann,
'S cha b' e gaol bhith nan cuideachd thug dhòmhsa dol ann,
Ach 's e na bha 'm cheann dan Tòiseachd.

Am fasan a bh' agam, gun d' lean e rium riamh,
Bha de dh'fhoighidinn agam na dh'fhanadh rium riamh;
'S an leannan a bh' agam gun deach ris an t-sliabh,
'S gun d' fhàg i mi 'm bliadhna 'm ònar.

*côta fada air a chleachdadh leis an fheadhainn Ghallda

28

If I Marry, I'll not Take a Big Woman

I got this song from the late Donald Morrison, Salen, Mull. He spoke the words with a fairly fast rhythm, which would seem correct. It was also recorded by the School of Scottish Studies from the singing of Nan MacKinnon of Vatersay (SA1958/53).

Is this the same sweet maiden, or is the bard experiencing another unhappy love affair? He goes to the party in the vain hope of seeing his sweetheart. He would not have gone at all had he not been drinking too much whisky.

The beloved must have been petite. We know that Lachie himself was not tall, but, as the late Johnnie Campbell of Bunessan told me, "He was very good-looking, with black curly hair down to his shoulders."

Refrain
If I marry, I'll not take a big woman,
I will not marry nor favour a big one;
If I marry, I will not take a big one -
A small one will suffice for me.

I went to the raffle in a long coat without a back,
On a night without a moon with little trust in my eyes;
I wasn't complaining even if it cost me a crown
If I could see my loved one in the company.

All the girls were beautifully dressed,
Topped by silks whose swish I could hear;
It wasn't a fondness for their company that made me attend
But the amount of whisky I had drunk.

The habit I had, it followed me always -
I had as much patience as would last forever;
The sweetheart I had has gone to the mountain
And has left me alone all year.

Dòmhnall an Dannsair

Tha mòran eòlach air an òran seo. Chaidh fhoillseachadh anns an leabhar *An t-Òranaiche* (1879), agus tha còig rannan ann an *Còisir a' Mhòid*, an treas leabhar. Bidh e gu tric ann an co-fharpaisean aig a' Mhòd Nàiseanta, gu sònraichte airson chòisirean. Agus chaidh an t-òran a chlàradh le Ruairidh Caimbeul air an CD aige, *Tarruinn Anmoch* (Greentrax, 2000).

B' e 'Dòmhnall an Dannsair' Dòmhnall MacIlleDhuibh, a rugadh ann an Lios Mòr anns a' bhliadhna 1801 agus a chaochail anns a' bhliadhna 1889. Chaidh an dealbh dheth a tharraing le Gilleasbaig Caimbeul, dàrna mac Diùc Earra-Ghàidheal, ann an 1875. Tha an dealbh aig Donnchadh MacIlleDhuibh ann an Lios Mòr - b' e Dòmhnall an Dannsair a shinn-seanair - agus rinn e lethbhreac dhomh.

Tha e follaiseach gun robh Lachann agus Dòmhnall glè eòlach air a chèile. Bha mòran conaltraidh eadar Muile agus Lios Mòr. Tha fhios againn bho *Statistical Account* 1790 gun robh aiseag eadar Muile agus Lios Mòr.

Sèist
Dòmhnall an Dannsair is srann aige tighinn -
Bidh lùb air a' chrann 's gach ball an ruigheadh;
Nuair gheibh thu 'n taigh Angais dram no dithis,
Gun gearradh tu figear air cabhsair.

Am bàta dubh daraich a th' agadsa daonnan,
Cosnadh an arain ag aiseag nan daoine;
Chan fhan thu aig baile là gaillinn no gaoithe -
Gur co-dheas leat Faoilteach no samhradh.

Sgiobair ga stiùireadh 's a shùil air an iarmailt,
'S i gearradh muir dhubh-ghorm gu dùthaich na riaghailt;
'S e baile nam bùthan tha 'n iùbhrach ag iarraidh,
Cho luath ris an fhiadh 's e na dheann-ruith.

Dòmhnall an Dannsair.

Donald the Dancer

This is the best known of Lachlan's songs. It was published in *An t-Òranaiche* (A. Sinclair, Glasgow, 1879), and five of the verses also appear in the third *Còisir a' Mhòid* book. It is often used as a choral test song at National Mods, and it was recorded by Roddy Campbell on his CD called *Tarruinn Anmoch/Late Cull* (Greentrax, 2000). A few years ago my brother Lachlan sang it on a television programme about Lismore, *Seudan a' Chuain.*

'Donald the Dancer' is a rollicking sea song about a good skipper and his strong seaworthy boat. But Donald was no ordinary skipper - he was a larger than life character both in his seamanship and in his leisure hours. You can feel the bard's own love of the sea, and of life itself, in the exuberance and *joie de vivre* of the song.

The subject of the song was Donald Black, a native of Lismore. He was born in 1801 and died in 1889. An oil painting of him was made in 1875 by Archibald Campbell, second son of the Duke of Argyll, part of Lismore having been bought by the Duke in 1874. I am very grateful to Donald's grandson, Duncan Black, Lismore, for giving me a photo of the painting. It is obvious that Lachlan and Donald were well acquainted. We know from the *Statistical Account* of 1790 that there was a direct ferry between Mull and Lismore.

Refrain
Donald the Dancer coming with the wind whistling in the cordage of the ship -
There will be a bend in the mast and the block ropes running;
When you get a couple of drams in Angus's place,
You will cut a fine figure on the pavement.

It's the black oak boat that you always have,
Earning the bread as you ferry the people;
You won't stay in harbour on a day of tempest or wind -
You are indifferent as to whether it be winter or summer.

A skipper steering her with his eye on the sky
As she cuts blue-black sea to the land of law and order;
It is the town of the shops that the yew vessel is seeking,
As fast as a hind in a swift race.

Ri brais' an t-sruth lìonaidh gu sìnteagach uallach,
Nuair shèideadh am brìos oirre, shìneadh i gualainn;
Thèid i gu dìreach gu tìr nan daoin'-uaisle,
Ged shèideadh e cruaidh ann an ceann oirr'.

Nuair thog thu siùil bhàna ri bàrr a cruinn chaola,
Leumadh is chrathadh i, 's ghabhadh i 'n aodainn;
Sgrogadh tu bhonaid dà chromadh air d' aodann,
'S tu gearan an t-aodach bhith gann oirr'.

'S e MacIlleDhuibh a fhuair urram a' chruadail -
Sgoilteadh e 'm buinne na mheallaibh o cruachainn;
Seall sibh na luingeis, air eagal am fuadach,
A' fuireach an Cluaidh fad a' gheamhraidh.

Thu tighinn gu seòlta 's tu eòlach sna sgeirean,
Tha cliù ort, a Dhòmhnaill, feadh chòrsaichean eile;
Do chombaist an òrdugh ga seòladh san deireadh,
Gad chumail far Eilean nan Gamhna.

Do ghillean cho fileant' gu riofadh a h-aodaich,
Ainmeannan bòidheach air ròpannan caola;
'S mas e 's gun tig ceò ort ga seòladh tron Chaolas,
Bidh fear air gach taobh dhith le lanntair.

'S e 'm fasan a bh' agad nuair bha thu 'n tùs d' òige,
Air tilleadh do Ghlaschu dhachaigh thar bhòidse,
Dh'òladh tu uile do chuid san taigh-òsta
Is shuidheadh tu còmh' ri tè Ghallta.

Tha balaich a' bhaile seo tachairt ort daonnan,
Eagal nam blaigeardan 's bail' Inbhir Aora;
Cha b' iongnadh leam idir ged shèideadh tu caonnag
Nuair chì iad thu, laochain, 's an dram ort.

Tha uaislean a' bhaile seo tighinn gu stràiceil
Lem brataichean geala 's am bathar gud bhàta,
A' phacaid bheag Liosach 's i tighinn gu sàbhailt'
Le ìm agus càis gu MacLabhrainn.

In the impetuous flood-tide she leaps lightly;
When the breeze blows she will thrust forward her shoulder;
She will go direct to the land of the gentry,
Though there be a strong head-wind.

When you lifted her white sails to the point of her slim masts,
She would jump and shake and take it head-on;
You would pull your bonnet two finger-lengths on your face,
While complaining that she was short of sail.

Black got the honour of being regarded as brave -
He would split the rapid current in a mass of spray from her hip;
Look you at the boats, so afraid of being driven off course
That they stay in the Clyde all winter.

You come cautiously with intelligent knowledge of the rocks,
You are renowned, Donald, in other seaways;
Your compass in order, positioned in the stern,
Keeping you off Eilean nan Gamhna.

Your men so skilfully reefing her sails,
Slim ropes with lovely names;
And should fog come upon you sailing her through the Sound,
There will be a man with a lantern to port and starboard.

It was your custom when you were young,
On returning to Glasgow, home from a voyage,
To drink your share in the hostelry,
And you would sit with a Lowland woman.

The lads of this town are always meeting you;
They're afraid of the ruffians and the town of Inveraray;
It is no surprise to me that you create a stir
When they see you, my lad, with a dram on you.

The gentry of this town are coming conceitedly
With their white clothes and their merchandise,
The little Lismore packet* coming safely
With butter and cheese to MacLaren's.**

* a trim fast ship carrying light cargo and passengers
** an Oban grocer

Òran a' *Chlydesdale*

Tha am bàrd a' cur fàilte air a' bhàta ùr, luath a bha air a togail air Cluaidh. Tha e ag ùrnaigh airson a' bhàta agus airson nan daoine a bhios a' seòladh innte. Tha e coltach gum b' e seo a' chiad turas-mara aice. A rèir beul-aithris is ann airson am faradh aige a phàigheadh a rinn am bàrd an t-òran seo. Bha an sgiobair is eile cho toilichte is gun d' fhuair e cead seòladh oirre an asgaidh, fad a bheatha.

Rinn Màiri Mhòr òran don bhàta-smùid seo cuideachd, ach bha ainm eile aicese oirre: 'Dail na Cluaidh'. Bha am bàta a tha aig Màiri aig deireadh a latha. Bha i a' fàgail an Eilein Sgitheanaich airson an turais mu dheireadh. Chaidh an *Clydesdale* a thogail anns a' bhliadhna 1862. An robh Lachann agus Màiri a' seinn cliù a' bhàta seo a chionn gum b' i a' chiad bhàta-smùide a bha aig na Muilich agus aig na Sgitheanaich?

Fhuair mi an t-òran seo bhon t-seinn aig Alasdair MacGhillEathain à Muile ann an Sgoil Eòlais na h-Alba (SA1953/109).

Sèist
Thug iad 'Cluaidh' air a' bhàta luath seo -
Cha till droch uair i o Mhaol na h-Òdha;
Guidheam buaidh leatha seòladh chuantan
Is saoghal buan do na bha ga seòladh.

Tha mo dhùil riut a thighinn don dùthaich
A Chluaidh na smùid agus criuth' gad sheòladh,
A thoirt cunnradh air feadh na dùthcha,
'S bidh fear mo rùin-s' innte dh'ionnsaigh 'n òstair.

Seachad Giogha tron Linne Dhiùrach,
Gun d' leag i cùrsa gu sunndach, bòidheach,
'S bha fear na cuibhle fo mhòran cùraim,
'S i gearradh shùrdag a dh'ionnsaigh 'n Òbain.

A criuth' as ainmeile th' ann an Albainn,
Gillean calma is iad cho eòlach -
Bidh cairt-iùil aca 's iad ga leughadh
Tron Linne Shlèiteach, 's nach lèir le ceò i.

A Song for the *Clydesdale*

There is a lot of excitement about the arrival of the new fast boat. This would seem to have been her maiden voyage, as the bard is blessing the boat and all who will sail in her. As well as celebration and congratulation, there is sadness and despair in this song - in the fourth verse the bard is thinking of his people who have suffered so much through eviction and forced exile. This fine new boat will take many more of them away from their beautiful island of Mull.

Mary MacPherson of Skye composed a song for the same boat and called her 'Dail na Cluaidh'. Her song must have been much later, as she is saying farewell to the boat. The *Clydesdale* had been built in 1862. Was she so wonderful or so worthy of a special song because she was their first steamboat?

I got the words and music of this song in the School of Scottish Studies from the singing of Alexander Maclean of Mull (SA1953/109).

Refrain
They named this boat after the Clyde -
Bad weather will not turn her back from the Mull of Oa;
I wish her success as she sails the oceans
And long life to those who sail in her.

My hope is that you will come to my land
From the smoky Clyde with a crew sailing you
To bring trade throughout the land,
And the one I love will be brought to the inn.

Past Gigha through the Sound of Jura
She made a lovely happy course,
And the man at the wheel was very careful
As she sailed jauntily towards Oban.

Her crew is the most famous in Scotland,
Hardy young men and very knowledgeable -
They have a compass which they read
Going through the Sound of Sleat, when you can't see it for mist.

An t-eilean àghmhor san d' fhuair mi m' àrach,
Bidh sluagh ga fhàgail chaidh chur air fògradh;
'S i sgoltadh thonn ann an aghaidh tràghaidh,
'S gur lìonmhor àite sam fàg i dròbh dhiubh.

Aig luaths a' bhàta bidh tuathaich sàbhailt',
'S gheibh uaislean àrd' innte àite-còmhnaidh;
'S nan robh e 'n dàn dhi a bhith air sàile,
Cha robh 'm Prionnsa Teàrlach an càs le Flòraidh.

'S gur beag an t-iongnadh ged their iad bàt' riut,
'S gun dèanainn dàn dhuit a chur an òrdugh
Thoirt cliù a' bhàta air feadh an àite,
'S i toirt nan Gàidheal gu 'n àite-còmhnaidh.

Agus seo dà rann eile a bha san òran mar a thugadh e don Sgoil le Donnchadh MacGilleBhràth à Muile (SA1963/31).

Bidh an sgiobair, an sàr dhuin'-uasal,
Na sheasamh shuas toirt corr' uair dhaibh òrdain;
Bho Chloinn Lachainn bha a dhùthchas
Nach biodh air chùl ann an àm na còimhstri.

'S lìonmhor ainneart a th' anns an àm seo,
Sluagh ro mheallt' 's iad am feall air fòirneart,
Ach nan robh i ann ann an linn na h-aimhreit,
Gun robh i san fhaing ann 's na nàimhdean leònte.

The beautiful island where I was reared -
Its people leave, being exiles;
As she parts the waves against the ebb-tide,
She leaves droves of them in many a place.

The ordinary people will be safe with the speed of the boat
And the high gentry will find a place to reside,
And if it had been her destiny to be at sea then,
Prince Charles and Flora would not have been in peril.

It is little wonder that they call you a boat
And that I should compose a song for you
To spread the fame of the boat throughout the place,
As she takes the Gaels to their dwelling-places.

These extra verses are from a version given to the School by Duncan MacGillivray of Mull (SA1963/31).

The captain, the true gentleman,
Will be standing up giving occasional orders;
His people were the MacLachlans,
Who would not hesitate in time of conflict.

Many have been the hardships of this time -
Deceitful people, fond of oppression -
But had she been around during the time of strife,
She would have been enclosed there, and the enemy would be wounded.

Loch Scridain, Mull.

Bàta Mhaol-Dòmhnaich

Fhuair Seumas Dòmhnallach an t-òran bho a sheanair, na facail agus am fonn. Dh'ionnsaich esan dhòmhsa e. Bha oidhirpean Mhaol-Dòmhnaich air bàta a thogail a' toirt fealla-dhà don bhàrd. Nuair a bha an obair deiseil, cha robh i idir math. Seo an t-òran sgaiteach sunndach a rinn Lachann air a' bhàta.

Anns an dàrna rann tha e a' toirt iomradh air Fèill Brìde, a tha a' tuiteam air a' chiad latha den Ghearran. Ann an saoghal nan Ceilteach bha àite sònraichte aig Brìde, an toiseach mar bhan-dia phàganach agus an sin mar naomh ainmeil anns an eaglais Chrìosdail. Dh'fheumadh bàtaichean, am measg mòran eile, a bhith deiseil airson Fèill Brìde.

Tha tobhtaichean 's a darach air an ceangal leis an iarann -
Chan eil saor an Grianaig a dhèanadh na b' fheàrr;
Tha dìon air a dubh-thoiseach a sgoltadh tonnan fiadhaich,
I falbh air a fiaradh 's i 'g iarraidh ro chàch.

Fàgaidh mise 'm baile seo - chan fhan mi car ach mìos ann;
Thèid sinn do na h-Innsean le Oighrig mo ghràidh.
Nuair gheibh mi 'm bàta daraich air a tearradh mu Fhèill Brìde,
Gabhaidh sinn an Crìonan 's taobh shìos a' Chanàil.

Nuair a chithinn do làthaireachd gu h-àrd mun chraobh uinnseinn,
Bidh thu tighinn am chuimhne gach oidhch' agus là;
Chàireadh tu bàta is chàireadh tu cuibhlean -
Och nan och mur till thu rinn do Mhuile nam beann àrd.

Stiùireadh i air Conach, far 'n do mhallaich iad na daoine,
Chuir thu riof na h-aodach is shaor thu cuid ràmh,
'S ghlaodh thu ris na balaich a cuid haileardan a rìofadh -
Mu dheireadh thug na sìobain a' phìob às do làmh.

'S mise tha gu muladach 's mi air m' uileann air an fhaoilinn,
A' feitheamh air an fhaochag gus an traoigh a' mhuir-làn.
Bu ghasta leam bhith 'n cuideachd leat nuair bhiodh tu air an daorach -
'S ann an sin a ghlaodhainn, "Mo laochan am bàrd!"

Ludovic's Boat

This is a song which my father, James MacDonald, learned as a young boy from his grandfather and which I in turn learned from my father. Lachlan is highly amused at his friend's efforts to build a boat, and he cannot resist composing this satirical song.

He refers to the feast of St Bride, a Celtic festival held on the 1st of February. In the early Celtic world Bride was a pagan goddess of fertility. In the fifth century she was a devout and important Christian nun. Island fishermen took their boats ashore for the winter and then tarred and prepared them for launching on the feast of St Bride.

Her thwarts and her oak are tied with iron -
There isn't a carpenter in Greenock who could do better;
Her black bow is wind- and water-tight, cutting through the wild waves,
Going obliquely against the wind in her effort to beat the rest.

I will leave this village - I will not stay longer than a month here;
We will go to the Indies with Euphemia my darling.
When I get the oak boat tarred before the feast of St Bride,
We will go by Crinan and the lower part of the Canal.

When I used to see you high up in the vicinity of the ash wood,
I continue to remember you every night and every day;
You could mend boats and you could mend wheels -
Alas, alas, if you do not return to us to Mull of the high bens.

They would sail for Conach, where the people were cursed,
You reefed her sails and you let loose her oars,
And you shouted to the boys to fasten the halyards -
Finally the high waves took the pipe out of your hand.

I am sad on my elbow on the shore,
Waiting for the whelks until the high tide ebbs.
I liked fine to be with you when you were on a spree -
That's when I would shout, "My hero boy - the bard!"

A Leathanaich on Taobh sa Leamhain

Mar a chunnaic sinn, bha dreuchd bàird aig Lachann Mac an Lèigh fo Leathanaich Locha Buidhe. B' esan am bàrd mu dheireadh a bha ag obair do na h-uachdarain anns an dòigh seo, ged a tha mòran a' smaoineachadh gum b' e Bàrd Thighearna Chola, a dh'fhalbh a Chanada ann an 1819, a' bhliadhna san do rugadh Lachann, am fear mu dheireadh dhiubh. Fhuair mi an t-òran seo - na facail agus an ceòl - ann an Sgoil Eòlais na h-Alba, bhon t-seinn aig Alasdair MacGhillEathain (SA1953/109) agus aig Donnchadh MacLabhrainn (SA1972/3).

Sèist
A Leathanaich on taobh sa Leamhain,
Fhir a' bhreacain uasail,
Gur lìonmhor a h-aon a chaidh gu bhàs
Air linn an stàilinn chruadhach.

Seo dùrachd mo chridhe 's mo ghaol
Don eilean shaor tha luachmhor,
A bheir an tàmh do luchd na h-aois,
'S gur cùbhraidh caoin a bhruachan.

'S i 'n oighreachd bh' aig Loch Buidhe bh' ann,
Ri linn a call 's a buannachd,
'S i air a ceangal ris a' chrùn
Le cùmhnantan nach fhuasgail.

'S tha m' aitreabh, tha m' àite-dhìon
Fon chaisteal dhìonach uaignidh;
Tha seun an àigh mu chom 's ri shàil -
Chan fhaigh an nàmhaid buaidh air.

O, fiùran gun mhearachd no gun mheang
Fo bheanntannan an fhuarain,
Gun ghiamh, gun ghaoid, ach fiamh ad aghaidh,
Do bhaintighearn' ghaoil rid ghualainn.

O eilean mo chridh' agus mo ghaoil,
Chan eil e faoin no suarach,
An t-eilean a chuir smear sa chnàimh
Nach diùltadh Gall a bhualadh.

MacLaine of this Side of the Loch

John MacLean (1787-1848), a Tiree bard, emigrated to Canada in 1819, the year of Lachlan's birth. Before emigrating he had been official bard to the Laird of Coll. Many think he was the last of his kind, but Lachlan Livingston was bard to the MacLaines of Lochbuie and the last to be officially employed by a laird. In that capacity he must have made many praise-songs like this.

He praises the house of MacLaine and the freedom which they enjoy because of it, but he especially praises the young laird. There would, I am sure, have been many more verses. Loch Leamhain, Loch of the Elms, was an old local name for Loch Scridain. The words and music are from the singing of Alexander Maclean and Duncan MacLaren (SA1953/109 and SA1972/3).

Refrain
MacLaine from this side of the Loch,
Man of the much respected tartan,
Many were they who were killed
Because of their steel swords.

This is the desire of my heart and my love
For the free island which is precious,
Which will give rest to aged people,
Its hills fragrant and smooth.

It was the Lochbuie's land
During the time of losing and winning;
It was bound to the crown with bonds
That would not be loosed.

My dwelling and my place of defence
Is below the secure, solitary castle;
The enchanting cry of the sea is around your frame -
No enemy can capture it.

Oh, a handsome youth without fault or shortcoming,
Under the hills of the springs,
Without blemish or defect; a pleasant countenance;
Your beloved lady by your side.

O island of my heart and my love,
It is not foolish or insignificant,
The island that put strength into the bone
That would not refuse to strike a Lowlander.

Oighreachd Locha Buidhe

Òran molaidh eile do Leathanaich Locha Buidhe. Bheil Lachann na bhàrd oifigeil aig an àm seo, no bheil e ag amharc air ais - "nuair bha mi ann 's mi faoin"? Fhuair mi an t-òran, an ceòl agus na facail, bhon t-seinn aig Murchadh MacGhillEathain à Muile, ann an Sgoil Eòlais na h-Alba (SA1953/99).

Tha sgeul ùr am bliadhn' agam
Bho theanga gheur nam bheul
Mu Leathanaich a' chinnidh mhòir -
'S ann dhaibh bu chòir bhith treun;
Luchd nam beann, nan gleann, nam bratach,
Gaisgich gun ratreut,
'S an fhìor fhuil uasal àrdanach -
Bidh "Buaidh no bàs!" mun gèill!

Tha choille chùbhraidh dlùth don bhaile,
Tha langanaich aig fèidh;
Taigh mòr nan sgàthan tùraileach
'S e deàrrsadh ris a' ghrèin.
Tha bhiolair ghlas 's an duilleach àrd
An gàrradh mòr nan seud,
'S bidh flùr na Banrigh taobh na sràid -
Cha shearg gu bràth 's cha stèinn.

Bho thìr nam beann 's fo sgàth nan gleann
Tha 'n eilid ann 's gach taobh,
Tha torm nan allt a' ruith trom cheann
Nuair bha mi ann 's mi faoin;
Na h-eòin ruadha 'g èirigh suas
Is fuaim ac' mar a' ghaoth -
Bhiodh iad tarraing air na h-aighreachan
'S a' mhil air bhàrr an fhraoich.

Caisteal na Mòighe, Locha Buidhe, am Muile.

The Lochbuie Estate

This is another praise song for the MacLaines of the Lochbuie estate. Is Lachlan composing in his capacity as official bard or is he reminiscing? So much of the story has been lost. I got the words and the music of this song from the singing of Murdoch Maclean of Mull in the archives of the School of Scottish Studies (SA1953/99).

I have a new story this year
From the keen tongue in my mouth
About MacLaine of the big clan -
To be strong was their heritage;
The people of the hills, the glens, the banners,
Heroes without retreat,
Who have the pure noble blood of the aristocracy -
It will be "Victory or death!" before they submit!

The fragrant wood is close to the village,
The bellowing deer are there;
The big house of the huge windows
Shining towards the sun.
The watercress is green and the foliage high
In the big garden of the heroes,
And the Queen's flower will be at the side of the road -
It will never wither or disappoint.

From the land of the mountains and in the shadow of the glens
The hind is everywhere;
The murmuring of a stream is running through my head
When I was there and I was light-hearted;
The red birds rising up,
Making a noise like the wind -
They would be attacking the lapwings
And the honey on the tips of the heather.

An t-Each Bàn/Aig Taic na h-Eaglais Stèidhte

Tha an dàn neo-àbhaisteach, inntinneach seo ann an Làmh-sgrìobhainn a' Mhoireasdanaich (Conduilidh MacFhraing Moireasdan à Muile, 1856-1943). Fhuair mi i ann an Sgoil Eòlais na h-Alba nuair a bha mi a' rannsachadh òrain Lachainn, agus seo mar a sgrìobh am Moireasdanach mu Lachann:

'S cha robh duilgheadas sam bith aige ann an ceathramhan òrain a chur ri chèile. 'S cha robh e cùramach gu dè dh'abradh e – nì a bha a' cuideachadh leis gu mòr. Ach nuair a theannadh e ri òran a dhèanamh, dhèanadh e gu math e.

Thachair an tubaist seo aig Creag an Iubhair nuair a bha iad a' togail an t-seann cheidhe. Bha an t-each bàn a' cairteadh clachan, agus Lachann a' dèanamh latha obrach leis.

Feumaidh gun robh Lachann air tilleadh bhon Ghalltachd, far an robh iomadh Gàidheal gan cosnadh greis den bhliadhna. Anns an tràchdas aige, 'The Migration of Highlanders into Lowland Scotland (with Particular Reference to Greenock) (1750-1890),' tha Rob Lobban a' dèanamh a-mach gun robh cuid de na Gàidheil a' teicheadh don Ghalltachd airson gun robh na ministearan agus an Eaglais cho cruaidh orra.

Tha naidheachd bhrònach aig an each bhàn air cruadal a dh'fhuiling e bho uachdaran agus bho mhinistear. Ach tha fhios againn gu bheil am bàrd a' bruidhinn air fhèin agus air a dhaoine: an eucoir agus an cruadal a dh'fhuiling iadsan – gu tric le cead na h-Eaglais Stèidhte. Tha an t-òran a' leigeil fhaicinn dhuinn gu follaiseach gun robh meas mòr aig Lachann air beathaichean agus mì-rùn mòr aige do mhinistearan!

Tha deireadh an treasa rainn gu sònraichte searbh. Ach b' e an rud air an tug e iomradh a thachair do Lachann fhèin nuair a chaochail e, mar a thachair do mhòran air a' Ghàidhealtachd aig an àm seo. Anns a' cheathramh rann tha am bàrd a' bruidhinn ris an each.

An t-Each
Aig taic na h-Eaglais Stèidhte,
Thuirt mi gun gèillinn don bhàs.
Nuair thug mi ionnsaigh gu èirigh,
Chaill mi mo spèiread 's mo chàil;
Chunnaic mi ùbhlan is peuran
Air bharraibh nan geug 's iad a' fàs -
Rinn am buaireadh mo theumadh,
'S bha mis' aig na Clèirich an sàs.

The White Horse/Close to the Established Church

This unusual and fascinating poem is from the Morrison Manuscript (written by Condullie Rankin Morrison of Mull, 1856-1943). While researching Lachlan's songs, I found the manuscript in the archives of the School of Scottish Studies, and Condullie Rankin wrote this about Lachann Dubh (I translate):

> He had no difficulty in putting verses of a song together and he was not careful about what he said – especially if it were to his advantage! But when he embarked on composing a song, he would do it well.

> This unhappy incident happened during the building of Craignure's old pier, where Lachlan and the white horse were employed in the transporting of stones between the inn, which is close to the church and the pier.

It seems that Lachlan had just returned from the Lowlands. Seasonal migration to the Lowlands, at this time, was a feature of island life. In his thesis, 'The Migration of Highlanders into Lowland Scotland (with Particular Reference to Greenock) (1750-1890),' Robert Lobban is of the opinion that Highlanders were sometimes forced to seek refuge in the Lowlands because of the intolerance of the Church and the ministers.

The horse tells his own very sad story – a true story of animal cruelty. Of course, we know that much injustice and cruelty had also been suffered by the bard and his people – condoned by ministers of the Established Church. It confirms that Lachlan Livingstone was indeed a caring, compassionate person who loved animals and disliked ministers!

The last two lines of the third verse are especially poignant, as what Lachlan mentions was exactly what did happen to himself. It was what proud Highlanders dreaded, and it was to be the fate of so many to die a pauper. In the fourth verse the bard addresses the horse. He has found a safe, comfortable home for the poor misused animal.

The Horse
Close to the Established Church,
I said that I would yield to death.
When I made an attempt at rising,
I lost my spirit and my appetite;
I saw apples and pears
Growing on top of the branches -
The temptation overwhelmed me,
And I was entrapped by the Clergy.

Nuair chì mi Liath-cheann a' tighinn,
Gun caraich e 'n cridhe nam chliabh,
Le bhata lainnireach sgithich,
Mar shaighdean làn bhior agus mheur;
Cha d' fhuair mi ceartas bhon t-Siorram,
San dòigh san do mhilleadh mo bhriathr'n -
Nach robh mi aig Lobhdaidh gun tilleadh
Mum faca mi ministear riamh!

Nuair thig Miller 's an Dotair
Is Alastair Crotach a-nìos,
Nì iad a-mach aig a' chùirt nach ann
Do dh'uaislean na dùthaich seo mi,
'S labhraidh na Lyons gu sunndach
'S tillidh mi null Sròn na Crìch';
Cha tèid mi, le còmhnadh an fhortain,
Ann an Leabhar nam Bochdan a-sìos.

Am Bàrd
Chì thu nuair leighiseas do chruachainn
Gun ruith thu cho luath ris a' mheann
'S nach tèid thu air seàrs aig na h-uaislean -
Cha bhi e ro bhuannachdail ann;
Nach amhairc air Màiri NicGuaire -
Bidh i air uaireannan gann;
Èirich 's na tuit ann an truaillidheachd -
Tha coill' aig Niall Ruadh, 's theirig ann.

Seo rannan eile a bha san òran mar a thugadh e do Sgoil Eòlais na h-Alba le Donnchadh MacGilleBhràth à Muile (SA1953/96 & 1966/42). 'S e am fonn aig 'Pòsta Ceangailte Tràth' a tha air.

Sèist
Am Bàrd
O, nach robh mi mar bha,
Hè, nach robh mi mar bha,
'S nan robh mi mar bha mi an-uiridh,
Cha mhathainn air bhuil an t-each bàn.

When I see Grey Head approaching,
It makes my heart leap in my chest,
With his shining hawthorn stick,
Like arrows full of prickles and knots;
I did not get justice from the Sheriff,
For the way my words were twisted -
If only I had stayed in Lothian without returning
And never set eyes on a minister!

When Miller and the Doctor
And Hunchbacked Alasdair come up,
They will make out at the court
That I am not of the nobility of this land,
And the Lyons will proclaim boldly
And return me across Sròn na Crìche;
With the help of Providence,
I will not go down in the Book of the Destitute.

The Bard
You'll see when your haunches heal
That you can run as swift as the young roe,
And you will not be in the possession of the gentry -
It would not be very profitable.
Look at Mary MacQuarrie -
She is sometimes wandered in her mind;
Rise up and fall not into corruption -
Red-haired Neil has a wood where you can go.

My thanks to Morag MacLeod for translating these extra verses of the song, which are from a version given to the School of Scottish Studies by Duncan MacGillivray of Mull (SA1953/96 & 1966/42).

Refrain
The Poet
Oh, that I were as I was,
Hè, that I were as I was,
And if I were as I was last year,
I would not have parted with the white horse.

47

An t-Each

Chan iongantach mo chridh'-sa bhith ìseal
Nach d' fhuair mi sìlean am bliadhn';
Gheibh each Iain 'ac Caluim a chìreadh,
Gum faigh e gach nì mar a mhiann;
Thèid mo tharraing on stàball,
Chan fhosgailear bràghad no srian,
Mo thionndadh a-mach às an stàil
Dh'ionnsaigh an àite aig Niall.

Ach nam faighinn-sa casadh den chlòbhar
Is deur den todaidh na cheann,
Gum fanadh an gill' agam sòbarr
'S nach blaiseadh e mòran dan dram;
Drongair an draibhear an Ridire,
Ach cuiribh fear glic ann am cheann,
Chumainn ann obair ri clachair
Mun rachadh stad air an làimh.

Nuair a bha mi 'n tùs m' òige,
Gum faighinn de dhròbhairean ceud;
Nuair rachainn a Ghoirtean na Sròine,
Chrùidhte mo bhrògan le iar'nn;
Rachainn don chlachan Didòmhnaich
Le bucaill òir ann am shrian;
An ait' bhith air peasair, air pònair,
An-diugh air còinneach, air feur.

Bha mi aig margaidhean Dhùnaidh,
Bha 'n fhaidhear sin dùmhail is rèidh,
Iad a' ruith ann an coidseachan dùbailt -
Is iongn' nach robh aon dhiubh nam dhèidh;
Chuir iad gu fearann an Diùc mi,
A-null gu dùthaich na dèirc -
An àite dhòmhsa bhith cliùiteach,
Mo chasan a' rùsgadh le gèinn.

Nan d' fhuair mi do dh'Achadh na Croise
Nuair chaidh mi gu bodach na Hung,
Cha robh mi air mo dhochann -
Cha robh, no lochdan nam dhruim;
Turas mo dhunaidh chuir mise
Nuair thàinig mi Mhuile nam beann -
'S mòr gum b' fheàrr bhith air cabhsairean Lunnainn
Lem bheiltichean buidhe mum cheann.

The Horse

No wonder my heart is heavy,
Since I got no oats this year.
John son of Calum's horse
Will get groomed, he'll get everything he desires;
I will be pulled from the stable -
Neither my collar nor my bridle loosened,
Turned out of the stall
To go to Neil's place.

But if I could find a gap to the clover
With a drop of toddy in with it,
If my lad would stay sober
And not touch much of the dram;
The Knight's driver a drunkard -
But put a wise man at my head,
I could keep a stone-mason going
Before I would stop.

When I was in my early youth,
I could find a hundred drovers;
When I went to Goirtean na Sròine,
My hooves would be shod with iron;
I'd go to church on Sunday
With buckles of gold in my bridle;
Instead of peas and beans,
I'm now on moss and grass.

I have been at Doune markets,
That fair was packed and orderly;
They'd be running in double coaches -
It's a wonder that none of them were after me.
They sent me to the Duke's farm,
Over to the land of charity -
Instead of my being famous,
My legs were chafing with their fetters.

If I had got to Achadh na Croise
When I went to the old man of Hung,
I would not have been injured -
No, nor had wounds in my back;
It was a disastrous journey for me
When I came to Mull of the mountains -
Much better to be on the streets of London
With my yellow belts around my head.

Mo Bhriogais Ghoirid

"Carson nach eil thu dol leis na companaich don phàrtaidh aig an taigh mhòr?" dh'fhaighnich Lachann. "Chan eil briogais cheart agam," fhreagair am balach. "Tha briogais mhath agamsa a thàinig à Port Rìgh," thuirt am bàrd. Chuir am balach air a' bhriogais ghoirid agus dh'fhalbh e. Chaidh rudan gu math leis, agus phòs e searbhant Choinnich, mar a tha aig a' bhàrd oirre, agus air an robh am balach a' suirghe. Faodaidh sinn a bhith gu math cinnteach gun robh Lachann na sheann dhuine aig an àm seo. Cha robh dùil aigesan a dhol gu pàrtaidh leis an fhear òg. Tha mi a' smaoineachadh gur e *plus-fours* a bha Lachann a' ciallachadh le briogais ghoirid.

Sèist
Togaidh mi mo bhriogais orm,
Falbhaidh mi lem bhriogais ghoirid -
Togaidh mi mo bhriogais orm,
'S thèid mi dh'fhaicinn searbhant Choinnich.

A' bhriogais thàinig à Port Rìgh,
Thàinig meas oirre mu dheireadh;
'S iomadh là i agam fhìn -
'S nì i 'n sgrìob seo do dh'fhear eile!

My Short Trousers

A light-hearted story and a fragment of mouth music as told and sung by my father. The bard's young friend couldn't go to the party to court his girl-friend because he didn't have a proper pair of trousers. The bard gave him a pair that had come all the way from Portree many years before. Were they perhaps plus-fours? At any rate, the trousers and the courting were so successful that the young man and the girl - referred to in the song as "Kenneth's servant" - got married!

Refrain
I'll pull on my trousers,
Off I'll go with my short trousers -
I'll pull on my trousers
And go and see Kenneth's servant.

The trousers that came from Portree,
They are being valued at last;
I myself have had them for many a day -
Now they'll do a turn for another fellow!

Òran an *Land League*

Fhuair mi an t-òran seo bho Dhòmhnall Moireasdan am Muile bliadhna mun do chaochail e. Is e seo na bha cuimhne aige air, ach tha e ag innseadh mòran dhuinn mun bhochdainn agus mun chruadal a dh'fhuiling na daoine aig an àm seo. Tha Dòmhnall MacPhàrlain air a thaghadh mar Bhall-Phàrlamaid, agus mar sin tha fhios againn gur e a' bhliadhna 1885 a bha ann. Tha an dàn a' dèanamh follaiseach dhuinn taobh tuigseach mothachail Lachainn. Ach a dh'aindeoin a' chudruim a tha air inntinn, gheibh am bàrd beagan spòrs às a h-uile rud - "'S bidh sinn leis a' Phàp gu lèir!" Bha MacPhàrlain na Chaitligeach agus a' chuid bu mhotha de mhuinntir Mhuile nam Pròstanaich.

Sèist
Fàilte dhuit is soraidh leat,
'S e 'n fhàilt' a chuirinn às do dhèidh;
Fàilte dhuit is soraidh leat.

Gu bheil coitheanal san t-Sàilean
'S an Earra-Ghàidheal gu lèir
Toirt an urraim do MhacPhàrlain,
'S bidh sinn leis a' Phàp gu lèir!

Nis on chuir sinn ann an Cùirt thu,
Staigh fo chùmhnantan nach gèill,
Thug thu uachdarain gu 'n dùbhlan
Bha gar sgiùrsadh mar na *slaves*.

Feuch gun cuimhnich thu gu h-àraidh
Air na daoin' aig nach eil sprèidh -
Òr na Banrigh a sgaoileadh,
An ceàrn seo den t-saogh'l na fheum.

'S chuir na bochdan ann am dhùthaich
Ùrnaigh dhùrachdach nad dhèidh,
Criopalaich is doill gun sùilean
'S daoine 's crùbaiche nan ceum.

Ach ma gheibh mi mo dhùrachd
Is gach cùrsa cur rium rèidh,
Gheibh sinn gach nì air bàrr don dùthaich
Is fuireach ann ar dùthaich fhèin.

The Land League Song

This poem I got from Donald Morrison in Mull, about a year before he died. The five verses were all he could remember, but they indicate to us the suffering and poverty of the people of the islands at this time. It must be the year 1885, as Donald MacFarlane, the crofters' candidate for Argyll, has just been elected. The poem shows the intelligent, sensitive and caring side of the bard. But even in this serious political song Lachie could not resist a humorous quip: "And we will all be Catholics together!" he says. He is referring to MacFarlane's being a Roman Catholic, at a time when most of his Argyll voters would be staunch and very earnest Protestants.

Refrain
Welcome to you and God speed
Is the greeting that I send to you.

There is a congregation in Salen
And throughout the whole of Argyll
Giving the honour to MacFarlane,
And we will all be Catholics together!

Now, since we have put you in an Assembly,
Under conditions which are binding,
You defied the landowners
Who were persecuting us like slaves.

See to it that you remember especially
The people who have no cattle,
Distributing the Queen's gold
In this part of the world in its time of need.

And the distressed people of my land
Have sent an earnest prayer to you,
Cripples and people who are blind
And people who can walk only lamely.

But if I now get my wish
And everything runs smoothly,
We will enjoy the fruits of this land
And I will be allowed to stay in my own country.

Òran a' Cheidhe

Anns a' bhliadhna 1896, an dèidh mòran ùpraid agus connspaid, bha an ceidhe, mu dheireadh thall, deiseil. Bha Lachann a' smaoineachadh nach fhaiceadh e crìoch air an obair gu bràth. Ann an 1891 chaidh Achd tron Phàrlamaid airson cuideachadh le ceidheachan a thogail air a' Ghàidhealtachd. Bha Locha Buidhe ag iarraidh ceidhe air an oighreachd aige fhèin agus bha daoine eile ga iarraidh ann an àite eadar-dhealaichte. Bhuannaich Locha Buidhe an latha, agus rinn am bàrd aige òran molaidh don cheidhe ùr làidir.

Ged as e òran aighearach a th' ann, tha ceistean na lùib. Cò phàigheas na fiachan? Ceidhe mòr rìomhach, ach feumaidh cuideigin a phàigheadh. 'S e Banrigh na rìoghachd a dh'iarr a chur ann - an tè aig a bheil a-nis cumhachd gun bhacadh, Bhictoria agus an rìoghachd aice. Seo àm na h-Ìmpireachd. Tha Lachann a' smaoineachadh air an t-saoghal mhòr, agus e fhathast is amharas air.

Tha e a' bruidhinn a-rithist mu Fhèill Brìde, a bha cho cudromach ri Oidhche Shamhna agus Latha Buidhe Bealltainn anns na h-Eileanan. B' e seo a' chiad latha den earrach, a h-uile rud a' fàs 's a' fosgladh an dèidh dorchadas a' gheamhraidh, agus na bàtaichean a' dol gu muir a-rithist. A dh'aindeoin an atharrachaidh a bha a' tighinn air an t-saoghal, is clèirich a' sgrìobhadh rudan suarach - dh'fhaodte an aghaidh Locha Buidhe - tha Lachann a' faicinn gu bheil cùisean a' tighinn nas fheàrr do Mhuile agus do a dhaoine fhèin.

A chionn 's gu bheil fhios againn cuin a chrìochnaich iad an ceidhe, tha fhios againn gu robh Lachann na sheann duine - tri fichead bliadhna 's a sia-deug - nuair a rinn e an t-òran. Faodaidh sinn cuimhneachadh cuideachd air a' Mhuileach a sgrìobh gum athair ann an 1935 is e ag innse mun latha a rinn Lachann an t-òran, is mar a bha e fhèin còmhla ris.

Bhithinn a' seinn an òrain bho bha mi òg, is mi air ionnsachadh bho Sheumas, m' athair, a bhiodh ga sheinn gu tric aig Mòdan is cèilidhean. Fhuair esan e bho sheanair, Lachann Dubh fhèin.

Ceidhe a' Chrògain.

The Song of the Pier

In 1896, after much trouble and controversy, the pier is at long last completed. Lachlan had thought he would never live to see it. He had been amused at much of the wrangling involved in the building of it. An Act of Parliament had been passed in 1891 giving grants to help build new piers in the Highlands. Lochbuie wanted a pier in Croggan on his own estate. Other people wanted it somewhere else, perhaps Craignure. Lochbuie won the day and his bard made a praise song for the strong new pier.

Although it is a happy optimistic song, there are still unanswered questions. Who will pay the pier dues? The Queen of the realm, the great Queen Victoria, authorised the building of this new pier, but who will now maintain it? The bard is thinking of the wider world and the implications of the rich Empire. There is always the suspicion and fear of a people so often abandoned and cheated.

He again mentions the Feast of St Bride, which was as important to the islander as Hallowe'en and the 1st of May. It marked the first day of spring; the darkness of winter was almost over and all the boats were going to sea again. Everything in Lachlan's world is changing, yet despite cheeky young reporters writing nonsense - probably for the opposition! - he is now hopeful that life will get better for Mull and for his people.

We know from the date of the completion of the new pier that Lachlan was an old man when he composed the song - at least 76 - and we may recall the Mull man's letter to my father in 1935 which has already been quoted, where he speaks of sitting, as a little boy, with his dear old friend Lachie while he composed the song.

I learned this song from my father, who sang it frequently. He learned it from his grandfather, Lachann Dubh, a few years before he died.

The pier is still standing.

Croggan Pier, today.

Òran a' Cheidhe

Tha 'n ceidh' a-nis dèanta - cò phàigheas na fiachan?
'S i Banrigh na rìoghachd a dh'iarr a chur ann;
'S ged dhubhas an iarmailt 's a dh'fhàsas e fiadhaich,
Tha gàdaichean iarainn bho chliathaich gu bhonn.

Tha saoir às a' Chrìonan an taobh seo Loch Fìne -
Nach iomadach innleachd is cèaird tha nan ceann;
O, shaoileam gu dìlinn nach fhaicinn-sa crìoch air -
Tha bàtaichean Ìle nis sìnte ri cheann.

Tha òganaich mì-mh'ail aig taice na crìche,
An cuid chlèireach a' sgrìobhadh nach b' fhiach a chur ann;
Bidh soitheachan rìomhach ri chliath'ch mu Fhèill Brìde,
Am brataichean sìoda 's iad rìofta rin ceann.

Mar ghealbhan is fuachd tha 'n fhairge ga bhualadh,
'S cha charaich 's cha ghluais e - mar chruachan nam beann;
Tha 'n stuth tha air uachdar 's e leaghta mar luaidhe,
'S bidh sgeul air na tuaith ann an *Cuairtear nan Gleann*.

Chì mi taigh-òsta aig Creagan na Sròine,
'S nuair chruinnicheas dròbhairean 's mòran dhiubh ann,
Cha chluinn thu den còmhradh ach prìsean na feòla
Is sìor ghabhail òran, 's na dròbhan san fhang.

A-rithist, seo rannan eile a bha san òran mar a thugadh e do Sgoil Eòlais na h-Alba le Donnchadh MacGilleBhràth (SA1963/34).

Tha mise san Fhaoilinn on 's cuimhneach le daoine,
Bhon thug uachdaran saoghalt' dhomh saogh'l a bhith ann,
Gun chrodh no gun chaoraich, air bheagan dan t-saoghal,
Ach tha Sasannaich daonnan cho fialaidh bhon làimh.

Tha gheataichean bòidheach gabhail fasgadh sa Chrògan,
An acarsaid thìorail fo chìochan nam beann;
Cadal gun chùram gus an dèan iad dùsgadh,
A' feitheamh a stùcan gu mullach nam beann.

The Song of the Pier

The pier is now finished, but who will pay the dues?
It was the Queen of the realm who asked for it to be built.
And though the sky should grow dark and a storm come,
There are girders of iron from its side to its foundation.

There are joiners from Crinan on this side of Loch Fyne -
Many an invention and craft they have in their heads;
Oh, I thought I would never ever see it finished,
But boats from Islay are now lying alongside it.

There are cheeky youths in its vicinity,
Their clerks writing that it was not worthwhile to build it;
There will be handsome vessels alongside it around Candlemas,
Their silken sails reefed to their masts.

Like lightning and cold, the sea is lashing it,
And it will not move or stir - like the peaks of the mountains.
The material on top of it is melted like lead,
And there will be news of the people in *Cuairtear nan Gleann*.

I see the inn at the rocks of the Headland,
And when drovers congregate, many of them,
Their only conversation is about the price of meat,
Continual singing of songs, and the droves safe in their pens.

And here again are extra verses, from the version of the song Duncan MacGillivray gave
to the School of Scottish Studies (SA1963/34).

I have been in the shore since people can remember,
Since the worldly landlords allowed me a life,
Without cattle or sheep, with few worldly goods,
Yet the English are always generous with their tips!

Lovely yachts take shelter in Croggan,
In a snug anchorage under the breasts of the bens,
Sleeping without worry till they waken,
Waiting from the little rock to the top of the mountains.

Oghaichean Lachainn

Bha na h-oghaichean - Iain, Seumas agus Lachann Dòmhnallach - daonnan a' dèanamh ciùil is bàrdachd. Rinn an triùir òrain a' moladh Lios Mòir - agus òrain gaoil, tàlaidhean, òrain molaidh agus marbhrainn. Ach gu sònraichte rinn iad òrain shunndach, sgaiteach air tachartasan sa bhaile aca fhèin.

Chinn na balaich a-suas ann an eilean uaine an aoil, Lios Mòr, a' cluich agus ag obair air a' chroit agus anns an tràigh, agus a' dol thar nan cnoc bho Phort Ramasa, 'Am Baile Mòr', don sgoil anns a' Bhaile Gharbh gus an robh iad ceithir bliadhna deug.

Coltach rin seanair, chaidh iad uile gu muir. An dèidh mòran de dh'obair chruaidh, chaidh Seumas agus Lachann do Cholaiste na Seòladaireachd ann an Glaschu, far an d' fhuair iad teisteanas sgiobair. Bha iad a' seòladh à Irbhinn air bàtaichean ICI. An dèidh an sgoil fhàgail, bha Iain a' seòladh thairis gu New Zealand gu àm a' Chogaidh, nuair a chaidh e don Chabhlach Rìoghail.

Bha sgil shònraichte aig gach fear le sgeulachdan èibhinn. Bhiodh Iain agus Seumas a' seinn aig na cèilidhean is aig na Mòdan a bha a-nis cho fasanta, agus bha iad uile comasach air a' phìob-mhòr a chluich. Tha cuimhn' agam air Seumas, m' athair fhèin, a bhith a' dèanamh ciùil don phìob, ach cha robh na puirt air an sgrìobhadh, is mar sin chan eil iad againn an-diugh. Rinn e port air an robh 'Miss Buchanan of Salen'. B' ise an tè a thuirt mu Lachann Dubh, "'S e *rough diamond* a bh' ann." Chluicheadh Iain air an fhidhill cuideachd.

Bhiodh Seasaidh NicAsgaill (no a' Bhean-phòsta NicThòrcadail), coimhearsnach a bha a' fuireach faisg air Port Ramasa, ag innseadh mar a bhiodh iad daonnan a' dèanamh òran nam balaich, gu sònraichte òrain èibhinn. A dh'aindeoin sin, chan eil mi smaoineachadh gun do rinn iad oidhirp air na h-òrain a sgrìobhadh gus an robh iad mòran na bu shine. Cha b' urrainn dhaibh Gàidhlig a sgrìobhadh, oir cha robh i idir ga teagasg anns an sgoil. Ach bha iad comasach air a leughadh air sgàth na h-eaglais.

Lachlan's Grandsons

John, James and Lachlan MacDonald inherited their grandfather's talent for poetry and music. All three composed songs in praise of Lismore, as well as love songs, lullabies, praise songs and - most of all - humorous songs about local events and local people.

The boys grew up on the green limestone island of Lismore, playing and working on the croft and on the shore, and attending Baligarve Public School until they were fourteen.

Like their grandfather, they followed a seafaring way of life. James and Lachlan studied at Glasgow Nautical College for their Master Mariner's certificates, and both eventually became sea captains, sailing in Nobel's ICI ships from Irvine in Ayrshire. John went deep sea, sailing abroad to New Zealand from Glasgow. In the 1914-18 War he was in the Navy.

Each of the brothers had the gift of storytelling - especially of telling humorous stories. John and James had good singing voices and sang at the ceilidhs and Mods which had become so popular. They could all play the bagpipes, and John could play the fiddle. I remember James, my father, composing pipe tunes. Unfortunately, they were not written down, and we have no trace of them. One, 'Miss Buchanan of Salen', was named in honour of my mother's aunt - she who depicted Lachann Dubh as "a rough diamond."

Near Port Ramsay a neighbour, Jessie MacAskill (MacCorquodale), used to relate how, as boys, they were always composing songs about local happenings, but I do not think they tried to preserve any of their songs until they were much older. This would be mainly, I think, because they were unable to write in Gaelic. Gaelic was not taught nor encouraged in their school, and Mr Wilson, their schoolmaster, had no Gaelic. But because of the Gaelic Bible used in church and at home, they could read the language.

Men and boys, including the three young MacDonalds, gathered for the New Year's Day shinty match, c. 1895.

Iain Dòmhnallach (1883-1940)

Rugadh Seonaidh Mòr, mar a theireadh iad ris, ann am Muile. 'S ann a' seinn cliù an eilein sin a rinn e an t-òran air a bheil mòran eòlach, 'Muile nam Fuar-bheann Mòr.' Feumaidh nach robh e ach dà bhliadhna dh'aois nuair a dh'fhàg a phàrantan Muile 's a chaidh iad don Òban. 'S e saor a bha na athair, Iain, a dh'ionnsaich a chèaird ann an Glaschu. Bha e cuideachd na sheòladair 's rinn e dà thuras air a' *Chutty Sark*.

Nuair a bha Seonaidh naoi bliadhna dh'aois, chaidh an teaghlach don chroit aig a sheanair o thaobh athar ann an Port Ramasa, an Lios Mòr. Mar a bha aig mòran eile aig an àm ann am Port Ramasa, bha smac aig a sheanair. 'S e *An t-Each* an t-ainm a bha oirre - nam bheachd-sa, ainm annasach air bàta! Bha m' athair ag ràdh gun robh i glè mhòr, agus bha i a' dèanamh malairt leis an Roinn-Eòrpa.

Bhon dealbh chì sinn gun robh gach aois a' cluich camanachd. Air a' chiad latha den bhliadhna bha an ceann shuas den eilean a' cluich an aghaidh muinntir a' chinn shìos. (Tha mi a' creidsinn gur e an t-seann Bhliadhn' Ùr a bhiodh iad fhathast a' cumail ann an Lios Mòr nuair a bha an dealbh seo air a thogail.) Nuair a thuiteadh an dorchadas air oidhche na Bliadhn' Ùire, bhiodh spòrs eile ann - ceòl, òrain, sgeulachdan, dannsadh agus suirghe!

Cur-seachad eile a bh' aig na fir, 's e a bhith a' feuchainn an aghaidh a chèile leis a' ghunna. A h-uile bliadhna bha co-fharpais losgaidh aca, agus bha Seonaidh Mòr am measg na feadhna a bha gu tric a' faighinn duais. Ach chan ann a-mhàin airson spòrs a bha gunna. Cha robh airgead no biadh pailt. Mu choinneamh Phort Ramasa bha beanntan Chinn Gheàrrloch. Bhiodh na bràithrean, agus iomadh duine eile, ag iomram a-null agus a' sealgaireachd nam fiadh. Ann an Lios Mòr fhèin 's e maighich agus tunnagan fiadhaich bu mhotha a bha rim faotainn. Bhiodh tuathanaich cuideachd daonnan a' feuchainn am measg a chèile cò a dhèanadh treabhadh math dìreach. 'S e latha mòr a bha ann an latha co-fharpais an treabhaidh: duaisean prìseil rim buidhinn agus na h-eich *Clydesdale* cho eireachdail.

Ged a chinn Seonaidh suas san Òban agus ann an Lios Mòr, bha e gu tric ann am Muile le a sheanair 's a sheanmhair. Nuair a dh'fhàg e Sgoil a' Bhaile Ghairbh, chaidh e ga chosnadh air fearann san Apainn. Aig deireadh a chiad bhliadhna 's e laogh a fhuair e mar thuarastal! Nach b' e sin an dòigh malairt bho thùs.

An ceann bliadhna no dhà chaidh e gu muir, a' seòladh do New Zealand, far an robh bràthair-athar air a dhachaigh a dhèanamh. A rèir pàipear à New Zealand, bha Seonaidh, aig ochd bliadhna deug, air bàta-siùil, *Samuel Plimsoll*, a bha air a ciad turas-mara agus a chaidh air tìr air sliabh New Zealand. Fhuair mi an earrann às a' phàipear bho ogha Sheonaidh, Grace NicDhòmhnaill. Bha an Comann Gàidhlig a' sgrìobhadh air cèilidh a bh' aca, agus am measg nan seinneadairean bha seòladair òg a thàinig às an *Samuel Plimsoll* - Iain Dòmhnallach, a mhuinntir Lios Mòr.

Ann am Port Ramasa, an ath-dhoras ris an taigh a bh' aig na Dòmhnallaich, tha sgiobair, Ailean MacPhàidein, a' fuireach. Nuair a bha esan òg a' seòladh do New

John MacDonald (1883-1940)

John, or Big John as he was called, was born in Mull, and his best known song is in praise of Mull - its title translates as 'Mull of the Big Cold Bens.' He must have been only two years old when his parents left Mull for Oban. His father, John, was a joiner who had been sent to Glasgow to learn his trade. He had also been at sea and sailed two years before the mast in the tea clipper *Cutty Sark*.

When John was nine years of age the family moved to Port Ramsay in Lismore, where his MacDonald grandfather had his croft. Like many of the men there, he was also a sailor, and he owned a smack with the unusual name of *An t-Each* ('The Horse'). She was, apparently, a large ship which traded with Europe.

From the photograph we can see that males of all ages played shinty (the old New Year - the 12th of January - was probably still being celebrated at this time). When darkness fell on the short January day, everyone, male and female, would enjoy the fun and excitement which occupied so much of their leisure time - music-making, singing, storytelling, dancing and, of course, courting!

Another popular pastime was the shooting match, held annually. There was keen competition to be a crack shot. But expert use of shotgun and rifle was not just a sport. Money and food were not too plentiful and the menu was greatly enhanced by poaching. Like many of the young men, John and his brothers would row across from Port Ramsay to the Kingairloch mountains and hunt the deer. The poaching in Lismore was mostly hare and wild ducks. The ploughing match was also an exciting and competitive annual event. There were many silver cups to be won and the big Clydesdale horses were brushed and groomed to look their most handsome.

Although John grew up in Oban and Lismore, he seems to have spent a lot of time in Mull with his grandparents. Having left Baligarve School at 14, he worked for a year

John MacDonald with two grandchildren, Ian and Grace.

Zealand, chuir e eòlas air seann sgiobair a thug dha ciste mhòr fiodh a rinn Seonaidh nuair a bha e na bhalach òg air bàta-siùil ann an New Zealand.

Cha robh Milde NicPhàidein, a mhuinntir Lios Mòir is na h-Apainn, ach ochd bliadhna deug nuair a phòs i Seonaidh. Rinn iad an dachaigh ann an Glaschu, far an do thog iad balach, Seumas, agus dà nighean, Maighread agus Mòr. Mar a chleachd mòran de na Gàidheil, bha iad a' dol do dh'Eaglais Ghàidhlig Chaluim Chille, far an robh Seonaidh a' seinn anns a' chòisir. A' seòladh leis an Luingeas Chogaidh anns na Dardanelles anns a' Chiad Chogadh, chaidh Seonaidh a leòn. Nuair a thill na fir bhon chogadh, cha robh an obair a bha air a gealltainn dhaibh ri faotainn, ach, le duilgheadas, fhuair Seonaidh obair air Cluaidh.

Tha e coltach gun robh guth sònraichte math ceòlmhor aig Seonaidh, agus bhuannaich e iomadh duais aig Mòdan, gu h-àraidh airson phort-à-beul, a dh'aindeoin a bhith a' connsachadh ris na britheamhan! Cha robh e daonnan ag aontachadh le beachdan a' Chomuinn Ghàidhealaich. Coltach ri a sheanair, cha b' urrainn dha a bhith sàmhach mu dheidhinn rudan nach robh na bheachd ceart. Bha iomadh sgeulachd èibhinn mu dheidhinn thachartasan a bha Seonaidh nan lùib aig na Mòdan! Bhiodh Seonaidh a' teagasg a dhithis nighean, Maighread agus Mòr, agus clann eile airson farpaisean a' Mhòid, agus tha e air ainmeachadh aig toiseach leabhar Dhonnchaidh MhicIain, *Crònan nan Tonn*, mar sheinneadair ainmeil.

Bha Seonaidh agus Calum MacPhàrlain, a bha na bhàrd agus na sgoilear ainmeil, glè mhòr aig a chèile. Fad bhliadhnachan, bha Calum a' tighinn a h-uile Didòmhnaich à Pàislig do thaigh Milde agus Sheonaidh ann am Maryhill gu a dhìnnear. Aon uair, bha Calum agus Seonaidh air làithean-saora an Lios Mòr is chuala a phiuthar Seasaidh Seonaidh a' seinn 'Puinneagan Càil,' is thuirt i, "Dè an t-òran gòrach a th' agad a-nis?" B' e seo an t-òran ùr aig Calum!

Shiubhail Milde ann an 1930 agus phòs Seonaidh Iseabail ann an 1935. Nuair a bha mi seachd bliadhna dh'aois chaidh mi le mo phàrantan air làithean-saora gu taigh Sheonaidh ann an Glaschu. Bha na làithean-saora mìorbhaileach, is Seonaidh gam thoirt do gach àite sònraichte, leithid nan dealbhan, nach fhaca mi riamh roimhe. 'S e toiseach àm Walt Disney a bh' ann, leis an dealbh *Snow White* agus an tunnag èibhinn, *Donald Duck*. Cha mhòr nach do thuit Seonaidh às a' chathair a' gàireachdainn air cleasan Dhòmhnaill an Tunnag!

'S e 'Lios Mòr' am frith-ainm a bh' aig na Gàidheil ann an Glaschu air Seonaidh Dòmhnallach (ann an Lios Mòr fhèin 's e 'Seonaidh an Lord'). Nuair a chaidh mise a Ghlaschu 's a bha mi ag obair anns na dealbhan-cluiche a bh' aig Fionnlagh Iain Dòmhnallach air an rèidio, 's e 'Lios Mòr' a bh' aca ormsa, a' cuimhneachadh air Seonaidh.

John MacDonald with two of his daughters, Sarah and Margaret, and Neil Ross - who won prizes at the Mod in Oban, 1923.

or two on a farm in Appin where, apparently, his first year's wage was a calf! The old economy had been based on cows.

Soon, though, he went to sea, making many voyages to New Zealand, where his father's brother, James, had emigrated and made his home. According to an extract from a New Zealand paper of 1901, John, aged 18, was on the sailing ship *Samuel Plimsoll* when she was wrecked on her maiden voyage to New Zealand. I got the New Zealand article from John's grand-daughter, Grace MacDonald (Mrs Mackay). The Gaelic Society were writing about their monthly concert, and they praised the Gaelic singer of eighteen years from the sailing ship *Samuel Plimsoll* - John MacDonald, who belonged to the island of Lismore.

In Port Ramsay, next door to what used to be the MacDonald house, lives Captain Allan MacFadyen. When he was sailing to New Zealand as a young man, he got to know an old skipper, who gave him a big wooden chest. This chest had been made by John when he was before the mast on a sailing ship in New Zealand.

Amelia MacFadyen, who also came from Port Ramsay in Lismore, married John MacDonald when she was just eighteen years old. They made their home in Glasgow, where they raised a son, James, and two daughters, Margaret and Sarah. Like so many Glasgow Highlanders, they attended St Columba's Gaelic Church, where John sang in the choir. While serving with the Royal Navy in the Dardanelles in the 1914-18 War, John was wounded. When the men came home from the War, there was not, as had been promised, an abundance of work. With difficulty, John eventually found work on the Clyde.

By all accounts he had an exceptionally good singing voice and he won many prizes at Mods, especially for *puirt-à-beul* or mouth music, despite a tendency to lack the usual deference towards the adjudicators! John did not always agree with An Comunn Gaidhealach, and, like his grandfather, he couldn't keep quiet about what he saw as injustices. My father had many hilarious stories about 'happenings' involving Seonaidh Mòr at Mods! John successfully tutored his daughters Margaret and Sarah and other children for Mod competitions, and in Duncan Johnson's book, *Crònan nan Tonn*, he is thanked for singing Duncan's songs on stage and radio.

John and Malcolm MacFarlane, a well known bard and scholar, were close friends. For years Malcolm travelled on a Sunday from Paisley to Maryhill to have his Sunday dinner with Amelia and John. Once, while John and Malcolm were on holiday in Lismore, John's sister Jessie made an amusing *faux pas*. John was singing Malcolm's new song, 'Puinneagan Càil,' and Jessie said, "What daft song have you made now? I don't like it!"

When I was seven I went with my parents on holiday to Glasgow to stay with John and his second wife, Isobel. Amelia had died in 1930. Uncle John took me to wonderful new exciting places like the pictures. I think he enjoyed them even more than I did, especially the hilarious fun of Walt Disney's *Donald Duck*.

John's Gaelic friends in Glasgow nicknamed him 'Lios Mòr.' Years later, when I took part in Finlay J. Macdonald's radio plays, they called me 'Lios Mòr' too, remembering John.

Mo Rìbhinn Bhòidheach

Chaill mi an ceòl a rinn Seonaidh airson an òrain seo. Chan eil fhios againn cò i an rìbhinn bhòidheach, ach rinn i imrich a-null thar sàile, agus tha am bàrd air fhàgail le cridhe goirt. Nach e cridhe goirt a tha a' toirt air iomadh duine bàrdachd a dhèanamh? Tha a' chuid as motha de na bàird Ghàidhlig a' guidhe slàinte agus soirbheachadh a bhith aig an leannan a tha gam fàgail.

(Air fonn 'Mi 'n seo nam Ònar')

Gun dèan mi òran don rìbhinn bhòidheach -
'S e tha gam leònadh thu bhith gam dhìth;
Tha mise brònach, air bheagan dòchais,
'S mur dèan sinn còrdadh, fon fhòid bidh mi.

Sèist
Air faill ill ò agus hòro èile,
Hi rì hug ò is na hoirinn ù,
Mo rùn a' mhaighdeann tha cridheil coibhneil,
'S cha chaill mi cuimhn' air do chomann dlùth.

Nuair bha sinn còmhla an gleann nan neòinean,
'S e cainnt do bheòil bha mar cheòl dom chluais;
Bu bhinn' do chòmhradh sa mhadainn cheòthar
Na guth na smeòraich sa choill fon driùchd.

'S gum bi mo smaointean gach là 's a dh'oidhch' ort -
'S e, ghaoil, do choibhneas tha nam chuimhn' gach uair;
'S bhon dh'fhàg thu 'n t-àite san deachaidh d' àrach,
Tha mi fo chràdh-lot gad ionndrain uam.

Tha mi gu tùrsach on dh'fhàg thu 'n dùthaich -
Do ghaol a bhuair mi nuair bha mi òg;
'S do shùilean mìogach air dath nam fion-dhearc -
'S e dh'fhàg fo chìs mi bhith 'n dìth do phòig.

Nis guidheam slàn leat a-null thar sàile,
'S na trèig a' Ghàidhlig, a dàin 's a ceòl -
'S i bha gad àrach nuair bha thu ad phàisde -
Is sonas 's àgh dhuit gach là rid bheò.

My Lovely Girl

I have lost the original music for this love song of John's, and the identity of the beloved girl is unknown. She has emigrated, leaving the bard bereft. Many poets are inspired to compose poetry because of the bitter-sweet pain of a love that has somehow been lost to them. Despite exceptions like the verses attributed to a Duchess of Argyll found in the Book of the Dean of Lismore, the Gaelic bards, with great magnanimity, usually wish the loved one good luck and good fortune.

I will make a song to the lovely girl -
To be without you is wounding me;
I am sad, with little hope,
And if we don't marry, I won't survive.

Refrain
Air faill ill ò agus hòro èile,
Hi rì hug ò is na hoirinn ù,
My love is the maiden who is cheerful and kind,
And I will never forget your close companionship.

When we were together in the glen of daisies,
Your talk was like music in my ear;
Sweet was your conversation in the misty morning,
Sweeter even than the thrush in the wood under dew.

My thoughts are of you every day and every night -
My love, it is your kindness that I remember constantly;
And since you have left the place where you were reared,
I am in great anguish, longing for you.

I am dejected since you left the country -
It was your love that enticed me when I was young;
Your laughing eyes the colour of grapes -
But what has oppressed me is being without your kiss.

You are over the ocean, and I wish you health,
And do not forsake Gaelic, its poetry and its music -
It was what you grew up with;
May you have happiness and prosperity every day of your life.

Muile nam Fuar-bheann Mòr

Tha e coltach gun do rinn Seonaidh an t-òran nuair a bha e na bhalach òg a' seòladh thairis do New Zealand. Coltach ri bàird Ghàidhlig bho thùs, tha e an seo a' tarraing dhealbhan àlainn bho dhùthaich fhèin - mòralachd na mara, nam beanntan, nan craobh agus nam fiadh. B' e Seonaidh fhèin a rinn am fonn.

Bhiodh m' athair ag innseadh mu dheidhinn còmhradh a bh' aig Seonaidh agus a charaid Calum MacPhàrlain. Nuair a sheinn Seonaidh an t-òran seo dha, thuirt Calum, "Thog thu dà shreath bho òran do sheanar." Fhreagair Seonaidh, "Cò b' fheàrr a thogail bhuaithe na mo sheanair fhèin!"

Nuair a bha an t-òran air eadar-theangachadh, cha robh e toilichte leis. Gu sònraichte, cha robh e ag aontachadh le ainm an òrain - 'Mull of the Cool Bens,' an àite 'Mull of the Big Cold Bens,' mar a tha an seo. Bha an t-òran air fhoillseachadh le Alasdair MacLabhrainn agus a Mhic ann an Glaschu.

Loch Scridain, Mull.

Mull of the Big Cold Bens

It seems that John composed this song when he was a young man sailing over to New Zealand. As in so much Gaelic poetry, the beauty of nature is extolled here. John draws evocative pictures of the island - the sea, the mountains, the trees and the deer. Like 'Donald the Dancer', this song is often chosen for choral singing at the National Mod.

My father used to tell of a conversation between John and his friend Malcolm MacFarlane, the Paisley bard. When John sang him the newly composed song, Malcolm remarked, "You have appropriated two lines of your grandfather's song." John replied, "Well, who better to take them from than my own grandfather!"

When the song was translated into English, John was not pleased with the translation. He was especially displeased with the title 'Mull of the Cool Bens' instead of the more literal translation, 'Mull of the Big Cold Bens.' It was published in sheet form by Alex MacLaren & Sons in Glasgow in their Hebrides Gaelic Collection series.

Loch Spelvie, Mull. © Sheila MacLeod Robertson R.S.M.A.S.W.A

Muile nam Fuar-bheann Mòr

O eilein mo rùin tha maiseach don t-sùil,
'S ann ann a chaidh m' àrach òg;
Bu bhòidheach do shnuadh air moch-mhadainn chiùin
'N àm èirigh don driùchd sna neòil;
'S e nuallan a' chuain a dhùisgeadh mo smuain
Nuair bhithinn gam chlaoidh le bròn,
'S ged tha mi nis uait cho fada thar chuan,
Cha tèid thu à m' chuimhne rim bheò.

Gum b' uallach mo cheum san ùr-mhadainn Chèit,
'S mi dìreadh an t-slèibh 's nan tòrr:
Bhiodh cuthag air crann sa ghleannan ud thall
'S mac-talla ri aithris a beòil;
'S cho fad' 's tha muir-làn a' lìonadh 's a' tràgh'dh,
Bithidh Nàdar a ghnàth mar as còir,
'S bu deurach mo shùil nuair thug mi mo chùl
Ri Muile nam fuar-bheann mòr.

O Mhuile nan craobh, gur cùbhraidh do raon
Le muran is fraoch nach gann -
Nan èireadh Clann Phàil gu ceannach is pàigh'dh,
Bhiodh pàirceannan làn mar a bh' ann;
'S gur sgaoilteach an t-àl bha coibhneil is blàth
Ri caraid is nàmh san àm,
'S tha comann mo rùin a' cnàmh anns an ùir
Sa chlachan tha naomh don clann.

O, b' àlainn leam riamh bhith coimhead 's a' ghrian
A' ciaradh san iar mar òr
'S Caol Muile mo ghaoil fo dhubhar nan craobh,
'S na luingis a' sgaoileadh sheòl;
'S do mhonaidhean àrd le ceò air am bàrr
'S na fèidh len cuid àil nan còir;
B' e dùrachd mo chrìdh' bhith tilleadh a-rìs
Do Mhuile nam fuar-bheann mòr.

Mull of the Big Cold Bens

O isle of my desire, which is beautiful to the eye,
That is where I was reared when young;
Lovely is your hue early on a calm morning
At the time of the dew and the clouds rising;
The moaning of the sea would awaken my thoughts
When I was fatigued with sorrow,
And though I am now so far from you over the ocean,
As long as I live you will never be far from my mind.

Light was my step in the fresh May morning
As I climbed the mountain and the hills:
There would be a cuckoo on a branch in the far away glen
And Echo answering her call;
And for as long as the tide flows and ebbs,
Nature will forever be as it ought,
And tearful was my eye when I turned my back
On Mull of the big cold bens.

O Mull of the trees, fragrant are your fields,
Without scarcity of sea-bent grass and heather -
And if Clan MacPhail were to rise to buying and paying,
Parks would be full, as they were;
Dispersed is the generation which was kind and warm
To friend and foe at that time,
And my beloved people are decaying in the grave
In the churchyard which is sacred to their children.

Oh, how glorious it was for me to watch the sun
Growing dusky in the west like gold
And my beloved Sound of Mull under the shadow of the trees,
And the ships spreading their sails;
And your high mountains with mist on their peaks
And the deer with their young close to them -
My heart's desire is to return again
To Mull of the big cold bens.

An t-Eilean Beag Liosach

Tha an t-òran a' moladh eilean uaine an aoil far an do chinn Seonaidh a-suas. Na bhalach bha e trang a' buachailleachd bhò. Ann am Port Ramasa bha pìos beag fearainn aig gach taigh nach robh air a dhùnadh a-staigh, agus cùl-cinn. Tha e mar sin fhathast, ach chan eil na daoine a' cumail mhart-bainne, 's mar sin chan eil feum air balach-buachaille!

Tha e inntinneach gu bheil rann ann a' moladh Mhuile, far an do rugadh e, ag innseadh cho dlùth 's a bha na dùrachdan aige don eilean sin.

Anns an leabhar *Lismore in Alba* leis an Urr. Iain Mac GhilleMhìcheil, a bha e fhèin a mhuinntir Lios Mòir, tha trì rannan aige as an òran seo.

Sèist
An t-Eilean beag Liosach fo dhubhar nam beann,
'S gur tric e nam chuimhne nuair bhios mi fo leòn,
'S mi a' cuimhneach nan làithean nuair a bha mi glè òg,
A' cluich mu a bhruachan 's a' buachailleachd bhò.

O eilein mo ghràidh-sa, gur àillidh do shnuadh,
'S gach lus a rinn Nàdar tha fàs air do bhruaich,
'S do chluaineagan àlainn tha 'g àrach na sprèidh -
'S e dh'fhàg mi fo chràdh-lot gad fhàgail am dhèidh.

'N àm èirigh na grèine gum b' èibhinn bhith ann
Ag èisteachd na h-eunlaith air bharraibh nan crann:
An uiseag gu ceòlmhor gu h-àrd anns an speur,
A' chuthag gu sùrdail cur smùid dhith air gheug.

Gur bòidheach an sealladh bhith coimhead a-null
Air Muile nan gleannaibh dan tug mi mo dhùil,
Le choireachan greannach 's a bheanntannan àrd -
Ri teas an àm samhraidh bidh sneachd air am bàrr.

'S b' e mo mhiann a dhol dhachaigh gu eilean mo ghaoil
'S don bhothan bheag gheal ud tha 'n achlais a' chaoil;
'S cha dhìt mi gu bràth e, àit' àghmhòr mo rùin,
'S na daoine rinn m' àrach 's tha cnàmh anns an ùir.

The Little Island of Lismore

This song is in praise of the island of John's boyhood and youth. He remembers happy, carefree days as a boy when he herded the cows. In his village of Port Ramsay each house had a small piece of land and common grazing ground. It is like that to this day, but as they no longer have cows for milk and butter, there is now no need for a herd-boy.

It is interesting that there is a verse praising Mull, the island of John's birth, emphasising his fond connections.

The Rev. Ian Carmichael, a native of Lismore, quoted three verses from this song in his book *Lismore in Alba*.

Refrain
The little island of Lismore under the shade of the mountains -
Often it is in my mind when I am stricken by sorrow,
Remembering the days when I was very young,
Playing about its banks and herding the cows.

O island of my love, beautiful is your aspect,
And every plant made by nature growing on your banks,
And your beautiful fields on which the cattle are reared -
I am broken-hearted leaving you behind.

At sunrise wouldn't I be happy to be there,
Listening to the birds in the tops of the trees:
The lark so musical, so high in the sky,
The cuckoo full of high spirits blasting forth on a branch.

Beautiful is the view as one looks across
To Mull of the glens which I love,
With its lowering corries and its high mountains -
In the heat of summertime there is snow on their peaks.

It is my wish to go home to the island of my love,
To the little white cottage in the shelter of the narrow strait,
And I will never forsake it, the happy place of my love,
Where the people who reared me are decaying in the grave.

Cumha na Mnatha

Tha Seonaidh a' caoidh airson a mhnatha, Milde, agus ag ùrnaigh gun toir Dia còmhla iad as dèidh a bhàis. Bha 'Creag an t-Sagairt' air a sgrìobhadh aig bonn na duilleig air an robh an t-òran sgrìobhte, 's mar sin tha e coltach gun robh Seonaidh na shuidhe air a' chreig seo an Lios Mòr nuair a rinn e an tuireadh.

Tha an t-àite faisg air Port Ramasa agus an sealladh cho àlainn 's gun toir e d' anail bhuat. Cha mhòr nach fhaic thu Lios Mòr air fad air a chearcladh leis a' chuan, agus chì thu na monaidhean àrda mar chearcall eile a' cumail fasgadh agus faire air.

(Air fonn 'Tuireadh Iain Ruaidh')

Tha mulad orm 's mi 'n seo leam fhèin -
A' cuimhneach orts', tha mi gun spèis;
Bhon dh'fhàg thu mise às do dhèidh,
Gur goirt mo dheur gad ionndrain;
Nuair bha sinn òg an tìr an fhraoich,
A' cluich 's a' mànran feadh nan raon,
Bho sin gu seo bha sinn mar aon,
'S cha dèan mo chaoin do dhùsgadh.

Gur tric mo smaointean fada tuath
San eilean bhòidheach taobh a' chuain
Far 'n robh sinn còmhla ruith nam bruach,
'S gach cluaineag buain nan neòinean;
Ach nis tha m' inntinn trom fo leòn,
'S gur tric mo shùilean sileadh dheòir,
'S nach cluinn mi briathran binn do bheòil
A bha mar cheòl am chluasan.

Ochòin, gur bochd a-nochd mo chrìdh',
'S do dhuine beò chan fhaod mi inns';
Cha dhùin mo shùil ged tha mi strì -
Tha 'n cadal dhìom 's mi brònach.
Tha thusa nis nad chadal suain,
Sa chiste chaoil nad leabaidh bhuain,
'S tha mise 'n seo mar long air chuan
Gun chruinn, gun siùil 's gun ròpan.

O Rìgh a tha sna speuraibh àrd,
Gun còmhnaich thusa mis' air làr
Is treòraich mise chun an àit'
Sa bheil mo ghràdh an còmhnaidh.
Tha ise nis mar sholas-iùil
A' deàrrsadh orms' gach là is uair,
Is chì mi d' ìomhaigh ann am shuain,
Ach 's fada bhuam mo lòchran.

Lament for His Wife

John is lamenting the death of his wife, Amelia. The pathos and imagery is poignant and sincere. We can feel the pain and loneliness of bereavement. Yet his faith is strong. He prays and believes that God will re-unite them after death.

   The song was apparently composed while the bard sat on a hill on Lismore called Creag an t-Sagairt, 'The Priest's Hill'. The view from there is breathtaking in its beauty. You can see almost the whole of Lismore encircled by the sea, the mountains of Glencoe, Ben Nevis and Ben Cruachan, Oban Bay, the mountains of Mull, Morvern, Kingairloch and then round again to Appin.

I am all alone and very sad
Remembering you, and now I am
   without love;
Since you left me behind,
I miss you and weep bitterly.
When we were young in the land
   of the heather,
Playing and singing among the fields,
From then till now we were as one,
And my lamenting will not waken you.

Often my thoughts are far north
In the lovely island by the sea
Where we ran together over the hills
And in meadows gathering daisies;
But now my mind is heavy with sorrow,
And often my eyes shed tears
Because I can't hear your sweet words
Which were music in my ears.

Alas, how distressed my heart is tonight,
And I cannot tell a living soul;
My eyes will not close, though I try -
Sleep has gone from me
   because of sorrow.
You are now sleeping soundly
In your narrow coffin, in your
   everlasting bed,
And I am here like a ship on the ocean
Without masts, without sails,
   without ropes.

O King who are in the high heavens,
Help me here on earth
And guide me to the place
Where my darling dwells.
She is now like a guiding light
Shining on me every day and every hour,
And I see your image in my slumbers,
But far from me is my lantern.

A Chàirdean 's Luchd-eòlais

Chuala Seonaidh Mòr gun robh deasbad agus connspaid anns a' Bhaile Mhòr. Dh'èirich an iorghail a chionn 's nach robh na pìosan beaga fearainn aig gach taigh air an dùnadh a-staigh, agus mar sin nochdadh beachdan eadar-dhealaichte mu dheidhinn chrìochan agus mu dheidhinn bheathaichean a bhith a' dol air seachran. Mu dheireadh, 's e blàr a bh' ann!

Bha Seonaidh a' faotainn gach naidheachd ùir bho a phiuthar Seasaidh ann am Port Ramasa agus bho a bhràthair Seumas ann an Achadh na Croise. Bha e fhèin gu sabhailte ann an Glaschu a' dèanamh fealla-dhà air na tachartasan èibhinn!

Port Ramsay Holdings.

Friends and Acquaintances

A local happening was the catalyst for this song. It was a disagreement that stemmed from the fact that Port Ramsay had, and still has, small-holdings which had no fences or dykes around them. Not surprisingly, disputes sometimes arose about boundaries and animals straying.

On this occasion such a dispute has apparently escalated into a full-blown battle, to the great amusement of Seonaidh Mòr, who is enjoying the colourful reports from his sister in Port Ramsay and his brother in Achnacroish. He himself can be satirical and have his own perspective from a safe distance away in Glasgow!

Leaving Achnacroish Pier, c. 1933.

A Chàirdean 's Luchd-eòlais

(Air fonn 'The Mountains of Mourne')

A chàirdean 's luchd-eòlais, nach èist sibh rim sgeul
Mun chogadh bha salach sa bhail' againn fhèin -
Cha robh leithid ann riamh o àm Waterloo,
Nuair dh'ith na Ruiseanaich Johnnie Grapoo;
Chan fhaigh mi lochd cadail a dh'oidhche no là
A' cuimhneach mo mhàthar 's i 'm meadhan a' bhlàir,
'S le biodagan 's claidheamhan a' reubadh a chèil',
'S tha mo cheann-sa air liathadh a' cluinntinn mun sgeul.

Nuair a thòisich na daoine ri tabaid is strì,
Bha cuid dhiubh a-bhos agus pàirt eile shìos:
'S i Teenie mo ghràidh bha air deas-làimh nan laoch,
Is Anna Dà Thunna air mullach na Maoil.
Nuair a choinnich iad uile air meadhan na tràigh,
Chan fhaiceadh tu mìr dhiubh le eabar is làth'ch,
Is dhall iad a chèile le buachar is mòin';
'N sin leum Joack is dhanns e air corp Shandaidh Dhòmh'ill.

Nuair a thòisich na mnathan ri tabaid len deòin,
Bhuail Anna Dà Thunna Teenie san t-sròin -
Na chèile a ghabh iad is thuit iad san allt,
'S gun cluinnte an staram air a' chladach ud thall;
Ach an sin nuair leum Teenie gu clis air a bonn,
Tharraing i sgaileag air Anna a theasaich a com;
Bha 'n Jigger na sheasamh air mullach an allt,
Is ghlaodh e ri Cailean, "Hip, hip, hip ho-rà!"

'S ma tha 'n naidheachd seo fìor 's gun robh dìol air na daoin'
Nuair a ràinig iad thall ud air Rubh' Àird a' Chaoil,
Iain Dubh air an ceann le claidheamh dà-làmh
Is Joack 's e gan sadadh 's gan spadadh le ràmh -
Ach am meadhan na h-ùpraid thàinig sìth air an àit'
Nuair leum Ailean air tìr is botal na làimh,
Is ghlaodh e ri Teenie, "'S tu thòisich am blàr -
Cha phòsainn a-nis thu ged gheibhinn am bàs!"

Friends and Acquaintances

Friends and acquaintances, won't you listen to my story
About the dirty war in our village -
There was never anything like it since the time of Waterloo,
When the Russians ate Johnnie Grapoo;
I cannot get a wink of sleep by night or day
Thinking of my mother in the midst of the battle,
With dirks and swords lacerating each other,
And my hair has gone grey through hearing the story.

When the folk started to fight and struggle,
There were some at the near end and others at the far end:
It was my darling Teenie who was on the right side of the heroes
And Two-Ton Annie was on the top of the Maol.
When they all met in the middle of the shore,
You couldn't see a bit of them because of the slimy mud of shore clay,
And they pelted each other with manure and peat;
Then Joack leapt and danced on Sandy Dhòmhnaill's body.

When the women started to fight with all their strength,
Two-Ton Annie hit Teenie on the nose -
They flew at each other and fell in the burn,
And the noise could be heard on the far shore;
But then when Teenie got swiftly on her feet,
She gave Annie a slap that warmed her all over;
The Jigger was standing up above the burn
And he shouted to Colin, "Hip, hip, hooray!"

And if this news is true and the people were persecuted,
When they arrived over on Rubha Àird a' Chaoil,
Black John leading them with a two-handed sword
And Joack flailing them and killing them with an oar -
In the midst of the uproar peace returned to the place
When Allan jumped ashore with a bottle in his hand:
He shouted to Teenie, "You started the battle -
I wouldn't marry you now even if my life was at stake!"

Fire Brigade Lios Mòir

Bhiodh dùil aig daoine gum biodh am bard-baile ag aithris air tachartasan anns a' choimhearsnachd. Gu dearbh bha Seonaidh a' dèanamh sin. Bha e a' dèanamh aoirean aotrom, le facail agus le dealbhan, fada mun do thòisich a leithid air telebhisean. Dh'fheumte ceathramh no dhà a chur ri chèile airson a' chiad *Fire Brigade*. B 'e Cailean a' Cheidhe an gaisgeach mòr eireachdail a bha air ceann a' bhuidhinn thrèin thapaidh len aodach ùr rìomhach.

Tha an gaol a tha aig Seonaidh air àiteachan agus air na daoine ann an Lios Mòr a' tighinn beò dhuinn 's e a' dèanamh an turais bho cheidhe Achadh na Croise gu Port Ramasa.

(Air fonn 'Mo Dhachaigh')

A chuideachd na Cèilidh, nach èist sibh rim dhuan -
Gun innis mi sgeul dhuibh ma dh'èisteas sibh uair;
Air madainn Diciadain gun d' innsear le beul
Gun robh tighinn don dùthaich an t-ùr-*Fire Brigade*.

Nuair a chruinnich an sgioba aig bàta na smùid,
Bha na gillean cho fileant' nan deiseachan ùr;
Nam bonaid bha ribinn le ite dhubh-dhonn
'S nam brògan bha tàirnean a' còmhdach nam bonn.

Bha Cailein a' Cheidhe na sheasamh air bruaich -
Air a ghàirdean bha claidheamh, anns an làimh eile tuagh,
Is ghlaodh e ri *Father*, "Cùm làimh riut na daoin'
Gus am faic iad an t-àrmann ga leigeil mu sgaoil."

Nuair a thog iad ri bealach, thàinig smal air an speur,
'S nuair a shìn e ri gluasad, chrith an talamh gu lèir;
Bha Coltair na chrùban air a ghlùinean ri pràmh,
'S an Coileach air spàrr ann is dùdach na làimh.

Dol seachad air Calum a' tarraing le sgrìob,
Ghlaodh Màiri ri Eàirdsidh, "Dom anam thoir sìth -
Chan fhacas a leithid bho àm a' mhuir-làin
Nuair bha Nòah san Àirce 's e 'n ìmpis a bhàth'dh."

Na dhealan tron ghleannan 's e falbh mar a' ghaoth,
Bha Eòghann san uinneag agus Anna ri thaobh:
"Dèan cabhag, mo chaileag, 's thèid sinn falach sa chrò -
Tha Goering air tighinn, is leis tha Haw-Haw!"

The Lismore Fire Brigade

The arrival of the very first Fire Brigade warranted a few verses in provocative but happy mood. John's love and enjoyment of the places and people in Lismore are evident as he makes his way through the island from Achnacroish to Port Ramsay. Colin of the Pier is the handsome, clever, invincible hero leading the troops triumphantly into action!

　　The township bard was expected to report on important and humorous happenings in the village, and Seonaidh Mòr lived up to people's expectations in his reporting. He had captured the art of satirising people and situations both verbally and visually long before the advent of television. The cartoon overleaf is probably by him.

People of the Ceilidh, won't you listen to my poem -
I will tell you a story if you'll listen for once:
On Wednesday morning word was received
That coming to the place was the new Fire Brigade.

When the crew gathered at the steam-boat,
The boys were so elegant in their new outfits;
In their bonnets were ribbons with a dark brown feather,
In their boots there were nails covering the soles.

Colin of the Pier was standing on a hillock -
In one hand was a sword, in the other a hammer,
And he shouted to Father, "Keep the people close to you
Till they see the warrior when it is let loose."

When they took to the hill, a dark spot came upon the sky,
And when it began to move, the whole earth shook;
Colthart was crouched on his knees in a daze
And the Cockerel on a perch with a bugle in his hand.

Going past Calum at a fair rate,
Mary shouted to Archie, "Bless my soul -
The like has not been seen since the great flood
When Noah was nearly drowned in the Ark!"

As it went like a fire-brand through the glen, going like the wind,
Hugh was in the window with Annie by his side:
"Hurry up, my girl, and we'll hide in the sheepfold -
Goering has arrived and with him Lord Haw-Haw!"

Nuair a ràinig e 'n Clachan, gum b' aotrom a cheum -
Fhuair Eachann a ghunna 's gun do loisg e na dhèidh;
Is ghabh e ron Bhachaill thar bhacan is chùirn,
'S e dèanamh air Lagan, ach dh'atharraich e chùrs'.

Tro Chachaileith Dhriseach chuir an sgioba ris spèis,
Dòmhnall Bàn anns an doras 's e glaodhaich, "Ho-rè!"
Aig Bealach a' Phollag ann an sealladh na Maoil,
Gun d' fhalbh e na lasair tro Lòn Sròn na Craoibh.

Nuair a ràinig e 'm baile far an d' àraicht' mi òg,
Bha gach bodach is cailleach a' dol falach 's gach fròg;
Leum Joack às a leabaidh nuair chual' e an dùd,
'S iad a' spùtadh an uisge tro na h-uinneagan-cùil!

Fhuair Seasaidh mo phiuthar-sa eagal a bàis
Nuair chual' i an staram aig cùlaibh na bàthch':
Ghlaodh i ri Phìomaidh, "Cuir am pàiste nad uchd,
'S thèid sinn falach gu h-àrd ann an Uamha na Muic."

"Guma slàn do na gillean," ghlaodh an Sgiobair le spèis,
"Mura till sibh rinn tuilleadh, bidh sinn dubhach nur dèidh -
Faigh a-nuas dhuinn am botal 's gun òl sinn ur slaint',
'S bidh mo shùilean a' sileadh mura till am Fear Bàn."

Nis, a chàirdean 's luchd-eòlais, sin agaibh mo sgeul:
'S i an fhìrinn a dh'innis mi, gun aon fhacal brèig;
Mura creid sibh mo chànain, rachaibh àrd air a' Mhaoil,
'S chì sibh làrach a shàiltean air Rubh' Àird a' Chaoil.

When it reached Clachan, light was its step -
Hector got his gun and shot after it;
It went through Bachail, over hollow and cairn,
Making for Lagan, but changed course.

Through the Driseach Gate the crew advanced with pride,
Fair Donald in the doorway, shouting, "Hurray!"
At Bealach a' Phollag within sight of the Maol,
Didn't it go like a flash through Lòn Sròn na Craoibh.

When it reached the village where I was reared in my youth,
Every old man and old woman was hiding in a dark corner;
Joack jumped out of his bed when he heard the horn -
They were squirting water in the back windows!

Jessie my sister got the fright of her life
When she heard the noise behind the byre:
She shouted to Phemie, "Pick up the child
And we will hide high up in Uamha na Muic."

"Health to the lads," shouted the Skipper with pride,
"If you do not return to us, we will very sadly miss you -
Bring us down the bottle so that we can drink your health,
And my eyes will be shedding tears if the Fair Fellow doesn't return."

Now, friends and acquaintances, that is my story:
It is the truth that I have told, without a word of a lie;
And if you don't believe my words, go up on the Maol
And you will see the impression left by his heels on Rubha Àird a' Chaoil.

Lismore Fire Brigade Cartoon.

Òran do Bhalachan

Seo òran do mhac Iain Mhic-a-phì, à Glaschu agus Bail' a' Chaolais. Bha am balach beag fileanta anns a' Ghàidhlig. Don bhàrd tha e a' samhlachadh dòchas do chànain agus do dhòigh-beatha a tha an cunnart a bhith air an call. Bha an t-òran air fhoillseachadh anns an iris *An Gàidheal* ann an 1940, agus seo mar a chaidh iomradh a thoirt air: "Rinn am bàrd Liosach an t-òran gasda seo. 'S e fhèin a rinn am fonn cuideachd; agus mar a chì sibh, tha iad le chèile blasda agus taitneach."

Mo ghaol air a' ghiullan, 's ann da bheir mi 'n t-urram,
'S le ghàire làn furain, 's gur lurach a ghnùis;
Tha ghruaidhean mar ròsan 's a shùilean cho bòidheach,
'S mo mhiann a bhith còmhla ri mòigean mo rùin.

Mo chridhe ris bàidheil nuair bhruidhneas e Ghàidhlig,
Cur am chuimhne na cànain a dh'àraich mi òg,
'S mi a' cluinntinn a' mhànrain a dh'ionnsaich a mhàth'r da,
'S gun èistinn le gàirdeas ri pràmhan a bheòil.

Tha anail cho cùbhraidh ri neòinean nam bruachan,
'N am cadail no dùsgaidh 's tu luaidh nam fear òg;
'S tu fallain gun fhàillinn mar bhreac air an t-sàile,
'S le fìor-fhuil nan Gàidheal bha nàdarr' dod sheòrs'.

Cha cheil mi air nàmhaid an spèis thug am bàrd dhuit,
'S tu uaibhreach, nàdarra, càirdeil, gun spòrs,
Bho shliochd nam fear làidir à dùthaich nan àrd-bheann,
'S gun òlainn do shlàinte 's gach àite mun bhòrd.

Mo chìocharan màlda, 's ann duit nì mi 'n dàn seo,
Gur uasal do nàdar 's thar chàich tha thu còrr;
Tha maise nad ghluasad is dreach ann ad ghiùlan,
'S gur iomadh bean-uasal bhios a' ruaig air do phòg.

'S e mo dhùrachd don uasal, fear bàn a' chùil dualaich,
Gach taobh nì thu gluasad gum buannaich do chòir;
'S gun seas thu gu dìleas ri cànain do shinnsrean,
'S bidh cliù ort sna sgìrean tha crìonadh gun phòr.

A Song for a Little Boy

This little boy was a fluent Gaelic speaker. He was the son of John MacPhee, of Glasgow and Ballachulish. To the bard he represents hope for the language and for a way of life which is in danger of being lost. This song was published in the magazine *An Gàidheal* in 1940, with these comments (I translate): "The Lismore bàrd composed this fine song. He also composed the tune; and as you see, the words and music are equally excellent and delightful."

I love the little lad, to him I will give the honour;
With his laugh full of welcome, sweet is his appearance;
His cheeks are like roses and his eyes so beautiful -
I long to be with the jolly little hero for whom I have such affection.

My heart warms to him when he speaks Gaelic,
Reminding me of the language with which I grew up;
Hearing the sweet melody that his mother taught him,
I would listen with joy to his murmured words.

His breath is as fragrant as the daises of the banks,
In sleep or in waking you are the most beloved of the young lads;
You are healthy without blemish, like a trout in the salt sea,
And with the true blood of the Gael which is natural to your kind.

I will not conceal from an enemy the regard which the bard has given you -
You are proud, affectionate, friendly, without disdain,
From the descendants of the strong men from the land of high bens,
And I would drink your health at every place about the table.

My gentle infant, it is for you that I make this song;
Noble is your nature and above the rest you are eminent;
There is elegance in your movement and seemliness in your behaviour,
And many a fine lady will be looking for a kiss from you.

My good wishes for the noble one with fair hair:
Everywhere you go, may all go well with you;
And may you keep faith with the language of your forefathers,
And you will be renowned in the districts which decay for lack of children.

Seumas Dòmhnallach (1885-1970)

Dè a' chuimhne shònraichte a tha a' leantainn ri balach beag seachd bliadhna dh'aois air an latha a chaidh an teaghlach do dhachaigh ùr? 'S e a' chuimhne a bh' aig Seumas mar a bha a mhàthair a' giùlan a phiuthair bhig, Seasaidh, ann an guailleachan mòr às an Òban do Phort Ramasa an Lios Mòr.

Nuair a chinn i suas, phòs Seasaidh Iain MacThòrcadail a mhuinntir Lios Mòr. Rinn iad an dachaigh ann am Port Ramasa, far an do thog iad an teaghlach: Seonaidh, Dùghall, Donnchadh, Seumas agus Mòrag (a bha air a h-ainmeachadh air a seanmhair, Mòr Nic an Lèigh).

An aon sgeulachd a tha agam mu Sheumas san Òban, 's e gun d' fhuair e a' chiad dhuais airson cuspairean Creidimh anns an sgoil. Aig an àm ud bha Creideamh air cuspair cho cudromach 's a bha air a theagasg san sgoil.

Dh'fhàg Seumas Sgoil a' Bhaile Ghairbh aig ceithir bliadhn' deug a dhol a dh'obair air a' bhàt'-aiseig eadar Lios Mòr agus Port na Croise. Thuirt e nach robh sa bhàta ach ceithir troighean deug, le seòl lug ma bha an t-sìde freagarrach. Mar bu trice, 's e obair chruaidh fhliuch a bhiodh ann, ag iomram an aghaidh gaoith agus sruth a dh'oidhche 's a latha. Ach bha an teaghlach MacAsgaill aig an robh Taigh an Rubha agus an t-aiseag glè choibhneil ris, agus gu dearbh mhair càirdeas sònraichte eatarra fad am beatha. Thug mi iomradh cheana air Seasaidh NicAsgaill (NicThòrcadail) agus air a' chuimhne a bh' aicese air na balaich.

Airson ùine ghoirid bha Seumas ag obair air long bheag dam b' ainm *Ilona*. Tha fhios agam gun robh e a' seòladh thairis, oir bhiodh e ag innseadh mar a chòrd e ris nuair a bha iad a' giùlan luchd orainsearan. Cha robh cunnart sam bith gum biodh an tachas-tioram orra air an turas cuain sin! B' esan am fear a b' òige den sgioba agus b' e an aon duine nach robh à Leòdhas! Ach dh'innseadh e cho càirdeil agus cho coibhneil 's a bha na Leòdhasaich ris.

Fhuair e an uair sin obair le bàtaichean ICI ann an Irbhinn. Bha na bàtaichean seo a' seòladh don Roinn-Eòrpa le luchd a bha gu sònraichte cunnartach. Thug Burras, an sgiobair mòr Èireannach, 'Man Friday' air. San teaghlach 's e 'Am Fear Caol' a bha air Seumas. Cha mhòr nach robh frith-ainm air a h-uile duine san eilean. Bha feadhainn às an robh daoine moiteil agus feadhainn eile a bha air an cumail falaichte. Tha cuimhn' agam fhèin air 'Rìgh', 'Baran' agus 'Siorram', agus 's e 'An Lord' a bha air mo sheanair Dòmhnallach. Is iomadh spòrs a thàinig às a sin. Nuair a thill Seumas do Lios Mòr, 's e 'An Sgiobair' a thug iad air.

The author with her father c. 1937.

James MacDonald (1885-1970)

What does a little boy of seven remember most clearly about his family moving from Oban to Lismore? James remembered his mother carrying his baby sister Jessie, wrapped in a big shawl, to their grandparents' home in Port Ramsay.

That was where Jessie grew up, where she married John MacCorquodale, a native of Lismore, and where they brought up their family: John, Dugald, Duncan, James and Morag (who was named after her grandmother, Sarah Livingstone).

The only Oban story about James I remember is of his First Prize at school in religious instruction. In the 1880s religion was probably the most important subject in the curriculum.

James left Baligarve School when he was fourteen to work on the ferry-boat between Lismore and Port Appin. The boat, he said, was a dinghy, just fourteen feet long, with a dipping lug-sail. The work must have been very hard, especially when the weather was wet and stormy and he had to row against the wind and the current, at all times of the day and night. But the MacAskill family, who had Point House and the ferry, were kind to him, and indeed this friendship lasted all his life. The daughter, Jessie MacAskill (later Mrs MacCorquodale), already mentioned, was to be the church organist in future years.

For a short time he worked on a pleasure yacht called the *Ilona*. I know he sailed deep-sea because he often recounted the story of how much he enjoyed the voyage home when the cargo was oranges - no danger of scurvy on that voyage. He was the youngest crew member and the only non-Lewisman! He would relate how courteous and kind the Lewismen were.

He then got work with the ICI ships in Ayrshire, which mostly traded with Europe, and with Germany in particular. They carried extremely dangerous cargoes of high explosives. Burras, the big Irish skipper, nicknamed him 'Man Friday'. James's own family nicknamed him 'Am Fear Caol' ('The Thin Fellow'). As in all the islands, almost everyone in Lismore had a nickname. Some of them were public and prized, while others were kept secret, but all of them were apt. I can remember a 'King,' a 'Baron' and a 'Sheriff,' and my own MacDonald grandfather was 'The Lord,' which encouraged many family jokes! When James returned to Lismore, he was known - I think affectionately - as 'The Captain.'

James MacDonald as a young seaman.

A' tilleadh gu òige: dh'fheumadh beagan airgid a bhith air a shàbhaladh agus tuillidh ionnsachaidh fhaotainn san Sgoil Oidhche mun robh e comasach air dol a-staigh don Cholaiste Seòladaireachd an Glaschu, far an d' fhuair e Teisteanas Maighstir Mara. Cha bu toigh leis Glaschu a chionn 's gun robh e cho trang, salach agus beatha dhaoine cho suarach, mar a theireadh e fhèin. Feumaidh gun robh e duilich do dhuine òg tighinn à eilean beag, far an robh ionannachd gach neach cudromach, don bhaile mhòr, far an robh na mìltean, le cànain coimheach. Chaidh e air ais do bhàtaichean Nobel ann an Irbhinn, a' seòladh na Chiad Oifigeach air an *Lady Dorothy* agus an sin na Sgiobair air an *Lady Gertrude Cochrane*. Bha Seumas an toiseach pòsta ri Iseabail Nic a' Phiocair à Cola, a shiubhail ann an 1926. Phòs e Mairead Nic a' Chananaich ann an 1928. Is ann à Lios Mòr a thàinig na daoine aice airson iomadh linn.

A dh'adhbhar tinneis, dh'fheum e a dhreuchd a leigeil dheth tràth. Bha mise dìreach dà bhliadhna dh'aois nuair a chaidh sinn dhachaigh do thaigh mo mhàthar an Lios Mòr. Cha robh croit leis na "taighean ùra", mar a bha aig na seann daoine air na taighean beaga ann an Achadh na Croise, a chionn 's gun robh iad air an togail do na daoine bochda a bha air an sguabadh às an fhearann aca anns an naoidheamh linn deug. Ach bha pìos math gàrraidh mu choinneamh an taighe a bhiodh a' cumail buntàta agus lusan rinn cha mhòr fad na bliadhna. Air cùlaibh an taighe, fon chreig, bha sinn a' cumail chearcan agus coileach, mar a bha na coimhearsnaich eile.

Bha ùine aig Seumas a-nis airson seinn agus ciùil. Coltach ri Seonaidh Mòr, chòrdadh e ris a bhith air an àrd-ùrlar aig cèilidhean, cuirmean-ciùil agus Mòdan. Coltach ris cuideachd, bhuannaich e duaisean, agus gu sònraichte airson nam port-à-beul. Ghabh e ris a' phìob-mhòr aig Lachann Dubh le dèine agus misneachd. Gu tric thuitinn nam chadal is m' athair air ais is air adhart a' cluich aig taobh mo leapa. Ach ghoirtich e a chliathaich agus dh'fheum e stad.

A' chiad chuimhne a th' agam air m' athair, 's e a bhith nam shuidhe air a ghlùin 's e a' seinn phort-à-beul. Rinn e òran beag snog dhomh fhèin ach tha mi air a dhìochuimhneachadh. Bhiodh e gam bhrosnachadh gu seinn san Talla againn mun deach mi don sgoil. Aig seachd chaidh mi don Mhòd agus bhuannaich mi a' chiad duais. Nuair a bha Lachann mo bhràthair sa bhun-sgoil choisinn esan dà dhuais a' chiad uair a dh'fheuch e aig a' Mhòd! 'S e spòrs a bha sna Mòdan an toiseach, ach cha do mhair sin – dh'fhàs iad na bu mhiosa na deuchainnean!

Cha robh ach dà sheòmar mhòr anns an taigh, 's mar sin bha mise am feum cadal sa chidsin. Tha mo chuimhne air an àm sin sona agus blàth. Bha mi an teis-meadhan gach còmhraidh, seinn agus ciùil nuair a thigeadh na coimhearsnaich air chèilidh. Is ainneamh a thigeadh duine a-staigh aig nach robh Gàidhlig, agus bha mòran comasach air seinn no air inneal-ciùil a chluich.

Nuair a chaidh an taigh a mheudachadh ann an 1938, thàinig am piàna. Bha Seumas anabarrach math air ceòl-dannsa a chluich. Bha e mar bu trice a' dèanamh facail agus fuinn nan òran aig an aon àm. Aig amannan eile, coltach ris a' chuid as motha de na bàird, chuireadh e fonn air na facail. Ach, rud a bha eadar-dhealaichte, bha e cudromach dha fonn ùr a dhèanamh don bhàrdachd aige. Mura dèanadh e sin, bhiodh e a' toirt leisgeul airson fonn duin' eile.

To return to James's youth: having saved some money and attended Night School, he went to the Nautical College in Glasgow, where he successfully studied for his Master Mariner's Certificate. Despite his success, he had an intense dislike of Glasgow - because of the dirt and the traffic and of how cheaply lives were held. It must have been difficult for a young man going from a small island, where every person had a special identity, to a city with thousands of people and an alien language. He returned to Nobel's ships in Ayrshire, sailing as First Officer on the *Lady Dorothy* and then as Captain on the *Lady Gertrude Cochrane.*

James married Isobel MacVicar from Coll, but she died in 1926. In 1928 he married Margaret Buchanan, whose people had been natives of Lismore for many generations.

James retired early because of illness. I was just two years old when we went home to my mother's house in Lismore. There were no crofts with the "new houses," as the old people called the little whitewashed cottages in Achnacroish. These houses had been built for people evicted from the south end of the island at the time of the Clearances. However, there was a good piece of ground in front of the house, which kept us in potatoes and vegetables almost all the year round. Behind the house, under the hill, we kept hens and a cockerel, as did our neighbours.

Now James had time to indulge his love of singing and music. Like his brother John, he enjoyed singing at ceilidhs, concerts and Mods. And, like John, he won prizes, especially for *puirt-à-beul.* He played Lachann Dubh's bagpipes with great enthusiasm. I remember him as he practised back and forth beside the big bed. As there were only two big rooms in the house, I had to sleep in the kitchen/living room. I enjoyed the excitement of talking, music and songs, especially when neighbours came to visit. I have happy, warm memories of these grown-ups talking and singing, always in Gaelic, and myself falling asleep to the music of father's bagpipes. Unfortunately, he hurt his side and had to give up playing.

My earliest memory of my father is of sitting on his knee while he sang me *puirt-à-beul.* He composed a little song especially for me, but I can remember only two lines of it. He encouraged me to sing at ceilidhs in our public hall and then, before my seventh birthday, I was entered for the Oban Mod, where, to his delight and my surprise, I won First Prize. While my little brother Lachlan was at primary school, he too competed successfully at Oban Mods. At first the Mods were fun, but soon they became more terrifying than exams!

With the expansion of the house in 1938 came the piano. James was especially fond of playing dance music. Perhaps it gave him inspiration for his songs. Most often he made the words and the tunes simultaneously. Sometimes, though, like most bards, he would fit a melody to the words. Yet, unlike many other Gaelic bards, he thought it important to make an original tune for his poetry. If not, he felt he must excuse himself for using another man's tune. Until I did Gaelic as a subject at Oban High School, it was the Rev. Malcolm MacCorquodale from North Uist and, later, the Rev. Ian Carmichael, a native of Lismore, who wrote down my father's songs and those of his brother Lachlan.

Gus an do rinn mise Gàidhlig mar chuspair ann an Àrd-Sgoil an Òbain, 's e na ministearan, Calum MacThòrcadail à Uibhist a Tuath agus Iain MacGhilleMhìcheil a mhuinntir Lios Mòir, a sgrìobh a-sìos na h-òrain dom athair agus do a bhràthair Lachann.

Tha mi làn-chinnteach gun do thòisich a' chuid bu mhotha de na h-òrain nuair a bha e leis fhèin a' dol thar nan dailtean 's nan cnoc leis a' ghunna neo air a' cheidhe le slat-iasgaich. Anns a' bhàta bheag cha bhitheanta a bhiodh e leis fhèin, bhon a bha e am feum companaich - fear ag iasgach 's fear ag iomram. Aig an àm sin bha na fir a' toirt dhachaigh, dh'fhaodte, còrr is ceud iasg - liugha, piocach agus rionnach. Tha cuimhn' agam air m' athair, mun do chuir iad àirde ris an taigh bheag, a' tiormachadh an èisg airson a' gheamhraidh air sglèatan an taighe.

Rugadh mo bhràthair Lachann ann an 1939, agus is sinn a rinn an toileachadh ris! Bha e air ainmeachadh air bràthair-athar agus air a shinn-seanair, Lachann Dubh. Nam bheachd-sa, bha m' athair sònraichte toilichte, oir chaill e balach beag air a' chiad phòsadh.

Fad àm a' Chogaidh mu dheireadh bha Seumas trang na Fhear-Faire Cladaich. Bha mòran a' dol air adhart an Lios Mòr a chionn 's gun robh bàtaichean nan *convoys* a' trusadh san Linne Sheileach airson nam bailiùnaichean a bha gan deasachadh air tìr. Bha forfhais aig Seumas air gach sgeir chunnartach san Linne. Thug luchd-riaghlaidh a' Chabhlaich Rìoghail an t-ainm 'Sgeir Sheumais' air tè de na sgeirean air a' chairt.

'S e balaich an Airm a chuir air dòigh a' chiad *Whist Drive* a bha riamh an Lios Mòr. Tha cuimhn' agam air m' athair a bhith a' teagasg mo mhàthar, 's mi fhèin agus na comhearsnaich, airson na ciad oidhche san Talla. Dh'ionnsaich e sgil nan cairtean aig muir. Aig an taigh bha mòran a' creidsinn gur e obair an Diabhail a bha sna cairtean!

Ged a bha Seumas a' leughadh leabhraichean de gach seòrsa, nuair a rachadh e a laighe 's e am Bìoball no sgeulachdan Phara Shandaidh mar bu trice a bhiodh aige. Mas e Para Shandaidh a bh' ann, dh'fheumadh e na pìosan a bha gu sònraichte èibhinn a labhairt a-mach airson mo mhàthar, a bha gu foighidneach ag èisteachd 's a' gàireachdainn, ged a chuala i iad ceud uair roimhe. Gu dearbh, dh'fhàs sinn uile comasach air pìosan a labhairt, ged nach do leugh sinne an leabhar!

A h-uile madainn Didòmhnaich bhiodh Seumas a' coiseachd an dà mhìle do dh'Eaglais a' Chlachain, far an robh na daoine aige ag adhradh airson iomadh ginealach. Nuair nach robh an t-òrganaiche ann – b' ise Seasaidh NicThòrcadail - dhèanadh e fhèin no Eàirdsidh MacGhilleMhìcheil am preseantadh. Dhiùlt e a bhith na èildear, agus chan eil fhios carson, ach an robh duine ann riamh ach Rob Donn fhèin a bha na bhàrd agus na èildear?

Coltach ri sheanair, rinn Seumas a' chuid bu mhotha de na h-òrain aige air tubaistean ionadail - òrain sgaiteach a' dèanamh fealla-dhà air tachartas air choreigin anns a' choimhearsnachd. Gus an là an-diugh, nuair a thachras rudeigin èibhinn, neo-àbhaisteach, their cuideigin, "Dhèanadh an Sgiobair òran mu dheidhinn."

I am sure most of his songs began when he was alone with his gun in the fields and the hills, or with his fishing rod on the pier. In the boat he was seldom alone. There was a need for at least two people, one to row and one to fish. At that time a night's fishing could bring home over a hundred fish - saithe, lythe and mackerel. I remember my father, while the house had only one storey, salting and drying fish on the slates.

My brother Lachlan, born in 1939, was named after his uncle Lachlan and his great-grandfather, Lachann Dubh. Although we were all delighted with the new baby, I think James was especially happy, as they had lost a baby boy in his first marriage.

During the Second World War, James was busy as the local Coastguard. There was much activity on the island because the convoys congregated in Loch Linnhe to be supplied from Lismore with their barrage balloons. James knew every dangerous rock around the island. The Admiralty in their charts named one he had located for them 'James's Rock.'

Some of the men from the armed forces, stationed on the island, instigated Lismore's first Whist Drive. I remember my father teaching the game to my mother, myself and neighbours for the first night in the Hall. Like most sailors, he had learnt how to play cards while at sea. Many people still regarded playing cards as tools of the Devil!

Although he had a wide and catholic taste in books, from Burns, Scott and Dickens to Cronin, on retiring to bed his favourite reading was the Bible and Neil Munro's Para Handy stories. If it was a Para Handy night, he would read the hilarious passages aloud to my mother, who patiently listened and laughed. Indeed, we were all able to recite long passages of Para Handy from my father's readings.

Every Sunday James walked the two miles to Clachan Church, where his family had worshipped for many generations. If Mrs MacCorquodale, the organist, was absent, he or Archie Carmichael would lead the singing in their fine tenor voices. Why did he refuse to become an elder? Who but Rob Donn himself was ever a bard and an elder!

Perhaps, like his grandfather, James is at his best when he employs satire and humour to elaborate on the ludicrous side of some local event. Many of these events were instant fun songs for his own enjoyment and that of the community. Even today, when something unusual and amusing happens in Lismore, someone will say, "The Captain would have made a song about it."

Crew of the *Lady Gertrude Cochrane*. James is in the front row (with cat).

Òran Gaoil

Seo òran a rinn Seumas do a bhean Mairead. Bha guth binn aicese agus bha i daonnan a' brosnachadh an teaghlaich gu òrain agus ceòl. Feumaidh gun robh Seumas thairis air dà fhichead nuair a rinn e an t-òran, ach tha fhios againn bho a charaid, Seasaidh Bean MhicThòrcadail, nach b' e seo a' chiad òran a rinn e.

Sèist
Illinn, illinn i-u ho rò,
Illinn, illinn i-u ho rò,
Illinn, illinn i-u ho rò,
Cha bhi mi beò mur faigh mi thu.

Didòmhnaich, seòladh tro na caoil,
Chì mi bhuam Lios Mòr an aoil,
An t-àite-còmhnaidh bh' aig mo ghaol
Sna làithean aotrom anmanta.

Tha d' fhalt ballach cualach dlùth
Sìos mud chluais na iomadh lùb,
'S chì mi 'n t-aoibhneas tha nad ghnùis
'S an rùn a fhuair an duine seo.

Tha do bhilean mar an ròs
'S bu mhilis leamsa do chuid phòg,
'S chan iongnadh mi bhith air do thòir,
'S cha bhi mi beò mur faigh mi thu.

Tha do nàdar coibhneil blàth,
Do chruth gun bheud o cheann gu sàil,
'S cha dìobair mi gu là mo bhàis
An gràdh a thug mi 'n chailin ud.

Nuair bhios càch nan cadal suain,
Bidh mise smaoineach ort, a luaidh,
Ach nuair a ruigeas mise Cluaidh,
Gun tèid gu luath gach smalan dhiom.

Bheir mise nis mo rann gu ceann
Is thèid mi sgrìob do thìr nam beann,
'S gun toir mi dhachaigh thu le deann,
'S cha bhi oirnn greann an aithreachais.

Seumas is Mairead, mu 1928.

Love Song

This is a love song James made for his wife Margaret. The date must have been about 1928, but we know from what his old friend Jessie MacCorquodale said about the boys' composing that this could not have been his first song. Margaret had a lovely singing voice and was always encouraging the family to sing and make music.

Refrain
Illinn, illinn i-u ho rò,
Illinn, illinn i-u ho rò,
Illinn, illinn i-u ho rò,
I will not live if I do not win you.

On Sunday, sailing through the sound,
I see yonder Lismore of the Lime,
The dwelling-place of my love
In light, carefree days.

Your lovely plaited hair is
Around your ears in many coils,
And I see the joy in your face
And the love you've given to this man.

Your lips are like the rose
And sweet to me are your kisses -
It is no wonder that I am in pursuit of you;
I will not live if I do not win you.

James and Margaret, August 1956.

Your nature is kind and warm,
Your appearance without blemish from head to heel,
And I will not abandon until I die
The love I have given to the damsel.

When others are sleeping soundly,
I think of you, my darling,
But when I reach the Clyde,
Every sadness will quickly leave me.

I will now end my poem
And I will go on a trip to the land of the bens,
And I will take you home with alacrity,
And we will have no frown of regret.

An t-Eilean Àlainn

Tha a' ghrian ag èirigh air Lios Mòr air madainn bhrèagha shamhraidh. Ach tha na dailtean a' dol nam fàsach gun bhò, gun chloinn. 'S e òran eilthirich a tha seo. Tha am bàrd a' caoidh nan daoine bochda a bha air am fuadach airson chaorach. Tha e a' comhairleachadh do na h-eilthirich a' Ghàidhlig a chumail beò – dh'fhaodte gun till iad.

Thuirt Seumas ri Lachann, mo bhràthair, "Feumaidh mi òran a dhèanamh do Lios Mòr. Rinn mo bhràithrean òrain do Lios Mòr, ach is mise a tha a' fuireach an seo." Bha mo choimhearsnach, Dòmhnall MacGhilleDhuibh, a' cumhneachadh dhomh mar a bhiodh Seumas a' feuchainn ceathramh de dh'òran ùr 's e air chèilidh orra.

A chionn 's gun robh mi a' dèanamh Gàidhlig ann an Àrd-Sgoil an Òbain aig an àm seo, bha mise a-nis comasach, le cuideachadh bho Dhòmhnall MacThòmais nach maireann, air na facail Ghàidhlig a sgrìobhadh.

Rinn Seumas 'An t-Eilean Àlainn' anns a' bhliadhna 1947. Goirid an dèidh sin, chlàr Iain MacAonghais à Bail' a' Chaolais an t-òran. Airson foillseachadh an òrain le MacLabhrainn an Glaschu, rinn Iain Mac Ghille na Brataich eadar-theangachadh Beurla air. Ann an 1962 chlàr mi fhèin an t-òran aig *Festival Cèilidh* ann an Dùn Eideann, agus ann an 1974 nochd seo air clàr agus cèiseag a thug Lismor Recordings a-mach fon ainm *Ceud Mìle Fàilte! – A Gaelic Cèilidh*.

Ann an 1995 chlàr mi an t-òran a-rithist airson bhidio air Lios Mòr a rinn Sabhal Mòr Ostaig agus Comann Eachdraidh Lios Mòr. Agus o chionn ghoirid ghabh an seinneadair Màiri NicAonghais an t-òran air an telebhisean ann am prògram air an eilean, *Seudan a' Chuain*. Cuideachd, tha 'An t-Eilean Àlainn' air a bhith ann an clò an *Orain Aon Neach*, leabhar a' Chomuinn Ghàidhealaich airson co-fharpaisean a' Mhòid Nàiseanta.

View over to Lismore from Port Appin.

The Beautiful Island

The bard paints a picture of the sun rising on Lismore on a summer's morning, but he deplores the desolation. He is empathising, grieving for the hundreds of people who were evicted from the island in the nineteenth century, leaving the fields unploughed and the ruined houses disappearing under the moss. He is realistic about the past, but for the future he hopes they can hold onto their language.

My brother Lachlan remembers our father saying, "I must make a song for Lismore. Both my brothers have, and I'm the one living here." My neighbour, Donald Black, reminds me of how James would sing to them the newly composed verses of a song when he went to visit.

Being at Oban High School at this time, I was able, with help from my Gaelic teacher, Donald Thomson, to transcribe the words of this song.

James composed 'An t-Eilean Àlainn' in 1947. A few years later, John MacInnes recorded it. John M Bannerman composed the English version for publication with the original as a song-sheet by MacLaren and Sons, Glasgow. In 1962 I sang the song at a *Festival Ceilidh*, recorded in Edinburgh by Waverley Records.

In 1974 Lismor Recordings brought out the record and a cassette, calling them *Ceud Mìle Fàilte! – A Gaelic Cèilidh*. In 1995 I recorded the song again for a video produced by Sabhal Mòr Ostaig and Comann Eachdraidh Lios Mòr, the historical society for the island. More recently, Màiri MacInnes sang it on a television programme about Lismore in the series *Seudan a' Chuain*. An Comunn Gaidhealach has published the song in their *Òrain Aon Neach*, a yearly publication of test songs for solo singers at the National Mod.

Castle Coeffin, west side of Lismore.

An t-Eilean Àlainn

Sèist

An t-eilean àlainn san Linne Mharbhairnich
San d' fhuair mi m' àrach nuair bha mi òg -
Is tric mi smaointeachadh ort am aonar:
Gun toir mi gràdh dhuit gach là rim bheò.

Nuair dh'èireas grian air sa mhadainn shamhraidh,
Gur iad do chlann-sa bu mhiann bhith ann,
Ach tha iad sgaoilte air feadh an t-saoghail
'S chan eil ach caoraich ri taobh nan allt.

Tha 'n còinneach fàsach a' cinntinn nàdar,
'S chan fhaic thu làrach nan daoine ciùin;
Le fuadach 's bàirlinn chaidh 'n cur thar sàile,
'S an t-àl a dh'fhàg iad, cha till iad ruinn.

Na cluaintean àlainn a dh'fheum iad fhàgail
A' dol nam fàsach gun bhò, gun chloinn,
'S na dailtean prìseil a threabh an sinnsear,
Chan fhaic thu nì annt' ach luachair dhonn.

Bha daoine càirdeil san eilean àghmhor
A chuireadh fàilt' oirnn nuair bha sinn òg;
'S e dhèanadh feum dhuinn a dhol air chèilidh
A dh'èisteachd sgeulachd nan daoine còir.

O seinn mun dealbh seo, a chlann nan Gàidheal,
Lios Mòr na h-Alba, fo dhìon nam beann;
'S ged dh'fhag sibh 'n t-àite, na caill bhur cànan,
'S gum bruidhinn sibh Gàidhlig ma thig sibh ann.

A view from the east side of Lismore.

The Beautiful Island

Refrain
The beautiful island in the Linn of Morvern
Where in my youth I was reared -
Often I think of you when I'm alone
And I will love you every day of my life.

When the sun rises on a summer morning,
Your children would long to be there,
But they are scattered throughout the world
And there are only sheep beside the streams.

The wild moss is growing freely,
Erasing traces of the people's homes;
With expulsions and summons they were sent abroad
And their descendants will not return to us.

The beautiful pastures they had to leave
Growing wild without cow or child,
And the precious fields their fathers ploughed
Empty now but for brown rushes.

There were friendly people in that happy island
Who would welcome us when we were young;
It gave us pleasure to go visiting
And hear the stories of the fine people.

So sing about this picture, children of the Gael,
Lismore of Scotland, under the shelter of the mountains;
And though you have left, do not lose your language,
So that, should you return, you will speak Gaelic there.

An rathad mòr do dh'Achadh na Croise, an Lios Mòr.

Òran an t-Subsadaidh

Nuair a thàinig subsadaidhean airson na croitearan agus na tuathanaich a chuideachadh, bha cunnart ann nach fhaigheadh na Liosaich dad a chionn 's, am measg adhbharan eile, gun robh a-nis caoraich *Leicester* aca. 'S ann airson chaorach dubh-cheannach a bha an cuideachadh. Bha iomagain agus strì am measg nan tuathanach, coinneamhan anns an Talla agus air an t-sràid, agus Seumas an teis-meadhan na h-ùpraid. Chaidh am ministear mòr, MacGhilleMhìcheil, a Dhùn Èideann agus bhuannaich e a' chòir aca. Thug Seumas MacGhilleDhuibh à Lios Mòr dhomh teip le Eàirdsidh MacGhilleMhìcheil nach maireann a' seinn an òrain. Bha Eàirdsidh e fhèin a mhuinntir Lios Mòr.

(Air fonn 'Fàilte Rubha Bhatairnis')

Ochòin, nach sinn tha muladach -
'S e 'n subsadaidh a lèir sinn,
'S mur faigh sinn caoraich dhubh-cheannach,
Do thaigh nam bochd a thèid sinn.

Tha am Ministear gar cuideachadh -
'S e sin a thuirt e 'n-dè rium:
Gun dèanadh e na b' urrainn dha
Nuair thèid e do Dhùn Èideann.

Bha mòran de na gaisgich ann
Nuair chruinnich iad ri chèile;
Bha 'n *Sheriff* 's e cho fasanta,
'S bha Eàirdsidh Mhuilich fhèin ann!

Bha Liosaich agus Uibhistich
A' crònan feadh a chèile -
"'S e nì math," thuirt Alasdair,
"Mur leum iad air a chèile."

"Mur faigh sinn caoraich dhubh-cheannach,"
Thuirt Dùghall Mòr ri Seumas,
"Thèid sinn sgrìob a dh'Afraga
'S gheibh sinn ailigèitears!"

Bha Tirisdich is Muilich ann,
Bha *Cambuslang* gu lèir ann;
Bha Dòigean a' leum 's coilear air,
'S e bruidhinn riuth' am Beurla.

The Subsidy Song

When subsidies were introduced to help the crofters and hill farmers, there was some doubt as to whether Lismore farmers were eligible. This was partly due to their introduction of Leicester tups, which were white-faced. Black-faced were the hill sheep.

Naturally, there was excitement and indignation among the local farmers. Meetings ensued, arranged and impromptu, with the bard in their midst. The minister, Iain Carmichael, was despatched to Edinburgh to plead their rights and the matter was eventually brought to a successful conclusion. James Black, Lismore, gave me verses which the family had forgotten. The song was sung on tape by the late Archie Carmichael of Lismore.

Alas, we are so very sad,
The subsidy has plagued us,
And if we don't get black-faced sheep,
The poorhouse awaits us.

The Minister is helping us -
That is what he told me -
And he will do his very best
When visiting Edinburgh.

Many were the heroes there
When they were all assembled:
The Sheriff was in fashion dressed
And Archie the Mull man chaired it.

Sheep on the *Lochnell*.

Men from Lismore and from Uist
Were murmuring for ages -
"It will be a blessing," said Alasdair,
"If they do not attack each other."

"If we don't get the black-faced sheep,"
Big Dougie said to James,
"We'll take a trip to Africa
And get some alligators."

There were Tiree people and Mull people there,
And Cambuslang as well,
Dòigean jumping with his collar on,
Talking to them in English.

Anna Chaimbeul

Bha Anna Chaimbeul agus mi fhèin nar companaich san sgoil. Nuair a chrìochnaich i a trèanadh mar bhanaltram, chaidh i do Singapore ann an 1957 na h-Oifigear leis an Arm. Bha m' athair den bheachd gu robh Anna sònraichte treun agus neo-àbhaisteach do bhoireannach òg!

Anna Chaimbeul, chaidh thu thairis,
Tha sinn gad ionndrain, beag is mòr;
Guma slan a bhios tu, Anna,
Fada thall an Singapore.

Nuair a bha thu òg nad chaileig
Ruith nan cnocan an Lios Mòr,
'S beag a shaoil thu anns an àm sin
A bhith thall an Singapore.

Tha thu bòidheach 's tha thu banail,
Tha thu measail an Lios Mòr;
Tha do chàirdean lìonmhor, Anna,
Ann an Eilean uain' an Aoil.

Class of Baligrundle Public School, c. 1938;
(Annie Campbell is in back row, first left).

Annie Campbell

Anne Campbell was a near neighbour and a school friend of mine. Having finished her nursing training, she decided to join the Army as a Nursing Officer, and was sent to Singapore in 1957. My father was very impressed by this courageous and unusual venture by a young lady!

Annie Campbell, you have gone abroad;
We miss you, both young and old;
May you be in good health, Annie,
Far away in Singapore.

When you were a young girl
Playing among the hills in Lismore,
Little did you think at that time
That you would be over in Singapore.

You are beautiful and you are modest,
You are esteemed in Lismore;
Your friends, Annie, are numerous
In the green Isle of the Lime.

Children celebrate the Jubilee, 1935.

An *Chevalier Hotel*

Air an dàrna latha den bhliadhna chuala Seumas bho choimhearsnach mu dheidhinn tachartas sunndach sònraichte a thachair ann an taigh beag air Oidhche Challainn. Rinn e òran aighearach agus thug e 'An Chevalier Hotel' air an taigh bheag. Chuala e mun ainm ann an sgeul a dh'innis Seonaidh dha, agus a fhuair esan bho Iain Camshron, Baile Chaolais.

Bha piuthar agus bràthair ag obair croite còmhla. Bha iad modhail le chèile ach air uairean rachadh Dòmhnall air *spree*. An uair seo dh'fhalbh e a reic bheathaichean ann an Inbhir Nis agus cha do thill e gus an ath mhadainn. "Càit an robh thu a-raoir?" dh'fhaighnich a phiuthar. "Dh'fhan mi san Chevalier Hotel," fhreagair Dòmhnall. Bha a phiuthar làn-thoilichte. Aig meadhan-latha agus iad a' gabhail am biadh, chualas ùpraid mun doras. Chaidh a phiuthar don doras: cò bha sin ach na ceàird - companaich Dhòmhnaill bhon raoir! Nuair a thill i thuirt Dòmhnall, "Cò bha sin?" "Bha do chàirdean às an Chevalier Hotel!"

Lean an t-ainm ris an taigh bheag gus an là an-diugh.

(Air fonn 'Gun chrodh gun aighean')

Innsidh mise dhuit, a charaid,
Mar a thachair anns a' bhaile -
Cailean Bàn is Baldie Ailean
A' cumail Callainn san *Hotel*.

Sèist
I ho rò 's na hò ro èile,
Òlamaid deoch-slàint' a chèile,
'S ma tha bàrdachd ann an Seumas,
Cuiridh e ri chèile rann.

'S nuair a chuir iad dhiubh am brògan,
'S ann an sin a dhùisg iad Dòigean;
Fhuair e smùid de Mhac an Tòisich -
Chuir sin foghlam ann a cheann.

Fear an taighe às a lèine,
'S thuirt e modhail riuth' am Beurla,
"As you have an invitation,
Chan eil feum air aodach ann."

Dh'èirich fear a ghabhail òran,
'S bha 'n cù ruadh toirt luinneag còmh' ris;
"Nuas am botal sin," thuirt Dòigean,
"'S òl deoch-slàint' mo leannain fhèin."

Guma slàn a bhios na gillean -
B' e mo dhùrachd iad a thilleadh,
Iad cho sunndach 's iad cho cridheil,
Gaol nan gillean san *Hotel*.

O, nan cuala tu, a charaid,
Am fuaim bha dol air feadh an taighe -
Bha na cearcan air an fharadh
Leum le faram leis a' cheòl.

Leum 'n sin Calum Bàn a laighe
A-null air cùlaibh bean an taighe -
Cha robh guth no cuimhn' air Cathie
Leis an dram a bha na cheann.

An uair a thàinig beul an latha,
'S ann a chuimhnich iad air Cailean -
Bha e a' feitheamh leis an aran
Thàinig thairis san *Lochnell*.

Nuair a thig oirnn an samhradh,
Tillidh rinn na daoine Gallta,
'S cluinnidh tu iad uile faighneachd,
"Cà 'il an Chevalier Hotel?"

The Chevalier Hotel

On the second day of the year, my father heard from neighbours about a wild, jolly party that was held in a quiet wee cottage on Hogmanay. My father had recently heard from his brother, John, the story that prompted the naming of the cottage.

The gist of it was as follows. A brother and sister lived quietly on a croft. The sister was very genteel, and so was the brother - except for the odd spree. On this particular occasion he had gone off to the sales in Inverness and not returned until the following morning. When questioned by his sister, he said he had spent the night in the Chevalier Hotel. His sister was well pleased. At lunch-time there was a rap and a tremendous noise and clatter about the door. The sister answered and was confronted by a crowd of tinkers: Donald's hosts from his overnight stay! On her return to the table Donald asked, "Who was that?" "Your friends from the Chevalier Hotel!" she replied.

Ever since then this cottage has been known by that name.

I will tell you, friend,
What happened in the village -
Fair Colin and Baldie Allan
Keeping Hogmanay in the Hotel.

Refrain
I ho rò 's na hò ro èile,
We will drink to each other's health,
And if there is poetry in James,
He will fit together a verse.

When they took off their shoes,
That's when they woke Dòigean;
He got a big splash of whisky
Which put wisdom in his head.

The man of the house was in his shirt,
And he said politely to them in English,
"As you have an invitation,
There is no need at all for clothes."

One man rose to sing a song
With the ginger dog making mournful wails
  to accompany him;
"Bring down that bottle," said Dòigean,
"And drink the health of my own sweetheart."

Here's a health to the boys -
It is my wish that they will return;
They are so cheerful and so hearty,
My dear boys in the 'Hotel'.

Oh, my friend, if only you had heard
The noise that was ringing through
  the house -
The hens on the roost
Were jumping merrily with the music.

Then fair Calum jumped into bed
Over behind the woman of the house -
He had no word or thought of Cathie
Because of the dram that had gone
  to his head.

When the first light of dawn broke,
It was only then they remembered Colin -
He was waiting with the bread
That came over in the *Lochnell*.

When the summer comes,
The Lowland people will return to us,
And you'll hear them all asking,
"Where's the Chevalier Hotel?"

An *Calor Gas*

Cha do ràinig an dealan Lios Mòr gu 1970. Nuair a thàinig an *Calor Gas* mu 1950, bha e mòran na b' fheàrr na *Tilley* no *Aladdin*, na lampaichean a thàinig mu fhichead bliadhna roimhe sin an dèidh nan lampaichean ùillidh. Bha *Calor Gas* math airson teas agus còcaireachd - 's e dìreach mìorbhail a bh' ann. 'S e lampa bheag iarainn a bha sa chrùisgean, is i air a lasadh le ùilleadh èisg. Cha robh i air a h-uinnseachadh o chionn còrr is ceud bliadhna.

Tha 'n *Calor Gas* air tighinn don dùthaich,
Chaidh an crùisgean a chur às;
Chan eil feum a-nis air ùilleadh,
Tha e cùbhradh 's tha e math.

Aig a' cheidhe air Diciadain,
'S baraill iarainn feadh do chas,
Calum Robertson 's MacDhiarmaid
Cur air tìr a' *Chalor Gas*.

Tha e nis aca san Òban,
Tha e shuas an Dail an Tairt*,
Tha e math airson *thrombosis* -
'S e mo ghaol an *Calor Gas*!

Ma tha am bàrd dol thar na fìrinn,
Chan eil sibhse dol ga bhrath;
Innsidh Corrigan dha-rìreadh
A h-uile nì mun *Chalor Gas*.

Thuirt MacColla rium Diciadain,
"Thig a-staigh, ach rub do chas,
'S chì thu 'n innleachd ùr aig Mòrag -
Fhuair i staigh an *Calor Gas*."

Thàinig duine dubh don dùthaich -
Chuala e mun *Chalor Gas*:
*"Buy the presents, bonny lady,
Bonny presents from Madras."*

Tha na daoine dh'fhàg an dùthaich
Nis an dùil ri tighinn air ais -
Chuala iad gun d' fhalbh an crùisgean
Is gun d' fhuair sinn *Calor Gas*.

O mo shoraidh leis a' chrùisgean,
O mo chreach, cha robh e math!
Chan eil duine 'n-diugh gad ionndrain -
Fhuair sinn staigh an *Calor Gas*.

*Taigh nam Bochd

The Calor Gas

Electricity was not introduced into Lismore until 1970. The arrival of Calor Gas in the early 1950s was a wonderful improvement on the Tilley and Aladdin lamps which had replaced the old oil lamps in the 1930s. Calor Gas began to be used for many purposes, such as cooking and heating. It must indeed have seemed like a small miracle.

The *crùisgean* or cruisie was a little iron fish-oil lamp that had not been in use for about a century.

The Calor Gas has come to the district,
The *crùisgean* has been extinguished;
There is no need now for oil,
The Calor Gas is fragrant and good.

At the pier on Wednesday
With iron barrels among your feet,
Calum Robertson and MacDermid
Putting ashore the Calor Gas.

They now have it in Oban,
It is up in Dalintart*,
It is good for thrombosis -
I just love the Calor Gas.

If the Bard is departing from the truth,
You are not going to betray him;
Corrigan will truly tell you
Everything about the Calor Gas.

MacColl said to me on Wednesday,
"Come in, but rub your feet,
And you'll see Morag's new contrivance -
She's got in the Calor Gas."

A black man came to the district -
He had heard about the Calor Gas:
"Buy the presents, bonny lady,
Bonny presents from Madras."

The people who left the district
Now contemplate coming back -
They have heard that the *crùisgean* has gone
And that we have the Calor Gas.

Oh, my farewell to the *crùisgean*,
Oh, my goodness, it was not good!
No-one today misses you -
We've got in the Calor Gas.

*The Poorhouse

Òran a' Cheàird

Seo òran aoireil a rinn Seumas air tachartas na h-oidhche roimhe. Chaidh na balaich - foirfich sa mheadhan-aois - thar an aiseig airson dram san taigh-òsda. Thog a' ghaoth agus dh'fheum iad fuireach san Apainn.

B' e an ceàrd gaisgeach na h-oidhche. Bha e math air seinn agus dannsadh agus gu sònraichte math air a' phìob-mhòir. Nuair a thuit balaich Lios Mòr nan cadal ann an seòmar beag, bha an gaisgeach fhathast na sheasamh gu treun air an staidhre. Ach an rud bu chudromaiche: 's e Stiùbhartach rìoghail a bh' ann, le càirdean an Lios Mòr.

Dh'fhaodadh nach robh aig a' cheàrd ach an fhìrinn nuair a thuirt e, "Is rìoghail mo dhream." An dèidh Chùil Lodair dh'fheum iomadh ceann-cinnidh agus teaghlach teicheadh don Roinn-Eòrpa. Chaidh feadhainn eile am falach nan dùthaich fhèin, agus bha beachd làidir ann gun tug iad an rathad orra mar luchd-siubhail.

Thàinig na gillean don Apainn an-dè;
Chaidh iad a chòmhnaidh don taigh aig *Miss Ray*;
Bha 'n oidhche cho dorcha, chan fhaiceadh iad reul,
'S bha 'n ceàrd 's e gan leanachd 's e glaodhaich, "Hooray!"

Nuair a chaidh iad don t-seòmar 's a shuidh iad mun bhòrd,
A h-uile nì gasta ri itheadh 's ri òl,
'S e 'n ceàrd a b' fhear-cathrach, le botal na dhòrn,
'S e glaodhaich le faram, "Seo whisky gu leòr."

Thuirt an ceàrd 's e na sheasamh, "Mun òl mis' an dram,
'S e Stiùbhart as ainm dhomh: bu rìoghail mo dhream;
'S ann à Apainn nan gillean a thàinig mo dhaoin'
'S tha mòran dem chàirdean an Eilean an Aoil."

"A chàirdean 's luchd-eòlais," thuirt am bodach leis fhèin,
"Gheibh sinn nis òran bhon Stiùbhartach fhèin;
Cha chuala sibh leithid, gun cuir mise geall,
'S e sòlas bhith 'g èisteachd ri brìodail a bheòil."

'S e 'n ceàrd a bh' air thoiseach nuair thòisich am bàl,
A' bualadh a bhasan 's a' glaodhaich, "Hurrah!"
Colthart 's MacArtair a' sgailceadh tron ruidhl' -
'S ann an sin bha an hoireann san Apainn a-raoir.

The Song of the Tinker

This is a satirical song about a local happening of the previous evening. In recording these local events James made instant fun songs for his own enjoyment and that of the community. The lads - respectable middle-aged elders of the Church - had slipped over on the ferry to Miss Ray's hotel for a quiet drink. I don't think it was an organised ball. A gale blew up and they were stranded in Appin.

The tinker is the hero of the narrative. He was a singer, a dancer and a great piper, but above all he was a royal Stewart with relatives in Lismore. Even at the end of the hilarious evening, when the others have collapsed in their garret, the tinker is still on his two feet bidding them farewell.

Perhaps the tinker was not exaggerating when he said, "Royal is my race." After the defeat at Culloden, many clan chiefs and families fled to Europe. Others hid in their own country, and there is a tradition that they took to the road and learned the skills of the travelling people.

The lads came to Appin yesterday;
They went to stay in Miss Ray's House;
The night was so dark you couldn't see a star,
And the tinker was following them shouting, "Hooray!"

When they went to the room and sat at the table,
Everything fine for eating and drinking,
The tinker was the chairman with a bottle in his hand,
Shouting loudly, "Here is whisky galore!"

The tinker said, standing up, "Before I drink this dram,
Stewart is my name and royal is my race;
It was from Appin of the young heroes that my people came
And there are many of my relatives in the Island of Lime."

"Friends and acquaintances," said the man who was alone,
"You will now get a song from Stewart himself;
You have never heard the like, I wager -
It is happiness to be listening to the caressing words from his mouth."

It was the tinker who was to the forefront when the ball started,
Clapping his hands and shouting, "Hooray!"
Colthart and MacArthur were cracking through the reel -
There in Appin was the uproar last night.

Thuirt an ceàrd, "Nan robh agam a-nis a' phìob-mhòr,
Bheirinn-sa ceòl dhuibh, a mhuinntir Lios Mòr;
Tha agam de *mhedals* nach cuireadh tu 'm poc,
'S iad crocht' anns an t-seòmar aig *Mrs Holt.*"

'S e na h-òrain 's a' hoireann a gheuraich an càil,
'S dh'ith iad a h-uile nì a gheibheadh an làmh;
Gu h-àrd anns a' *gharret* a chaidh iad mu thàmh;
Bha an ceàrd air an staidhir 's e glaodhaich, "Ta-ta."

Nuair a thàinig a' mhadainn agus bristeadh an là,
Bha cainnt aig na gillean nach b' urrainn mi ràdh.
"Nan robh sinn," thuirt Cailean, "air eilean mo ghràidh,
Chan fhaiceadh iad sinne san Apainn gu bràth."

'S e MacGhilleDhuibh a th' air aiseag a' Chaoil,
Le Seumas is Cailean ag aiseag nan daoin';
Bha fhios aig na gillean nuair stadadh a' ghaoth
Gum faigheadh iad thairis gu Eilean an Aoil.

Bu neo-shunndach na gillean nuair fhuair iad gu tìr -
Bha 'n t-aonach cho corrach 's bha balaich cho sgìth;
Nan d' fhuair iad an làmhan air ceàrd an là 'n-dè,
Chan fhaiceadh e tuillidh Loch Abar nam fèidh.

An Taigh aig Miss Rae. Miss Ray's House (Aird's Hotel, Port Appin).

Said the tinker, "If only I had the bagpipes now,
I would give you music, you Lismore people;
I have more medals than you could put in a sack,
And they are hanging in Mrs Holt's room."

It was the songs and the uproar that sharpened their appetites,
And they ate everything they could get their hands on;
High in the garret they went to rest;
The tinker was on the stair shouting, "Ta-ta."

When morning came and the break of day,
The lads had language that I cannot repeat.
"If we were," said Colin, "on my beloved island,
They would never ever see us in Appin again."

It is Black who is on the ferry of the Sound,
With James and Colin ferrying the people;
The lads knew that when the wind fell
They would get across to the Island of Lime.

Unhappy were the lads when they got to land -
The shore-field was so rough and the boys were so tired;
If they'd got their hands on the tinker from yesterday,
He would never again have seen Lochaber of the Deer.

Port Appin.

Lachann Dòmhnallach (1889-1956)

Cha robh Lachann ach dà bhliadhna dh'aois nuair a chaidh e do Lios Mòr. Coltach ri Seonaidh agus Seumas, dh'fhàg e an sgoil aig ceithir bliadhn' deug is chaidh e gu muir, a' seòladh thairis a-mach ri slios Ameireaga. Mar a rinn Seumas, chaidh Lachann a dh'obair le ICI, agus do Cholaiste na Seòladaireachd an Glaschu, far an d' fhuair e Teisteanas Maighstir-Mara.

Phòs e Sìne NicRath à Port Rìgh san Eilean Sgitheanach. Rinn iad an dachaigh ann an Irbhinn, far an do thog iad trì balaich - Iain, Cailean agus Seumas - agus caileag, Nan. Chan eil a-nis air fhàgail ach Cailean, agus tha esan a' fuireach sna Bahamas.

Tha iomadh cuimhn' agam air Lachann bràthair m' athar. 'S esan a thog mi suas aig sia bliadhna dh'aois a dh'fhaicinn mo sheanmhar sa chiste-mhairbh, agus airson gun cuirinn mo làmh air a h-aodann, mar a bha daoine a' cleachdainn aig an taigh. Bha Lachann air ainmeachadh air a sheanair, Lachann Dubh Mac an Lèigh. 'S e duine còir coibhneil a bh' ann - diùid, ach làn spòrs is fealla-dhà.

Nuair a thigeadh e a dh'Achadh na Croise san t-samhradh, 's e am fasan a bh' aige a bhith ag èirigh aig sia uairean, a' cur air an teine guail agus a' togail air suas am bruthach, thar nan dailtean, gus an tigeadh e gu Cnoc an Dà Loch, far am faigheadh e sealladh farsaing àlainn air Lios Mòr - bhon dàrna taobh gus an taobh eile. Shuidheadh e an sin gu àm braiceist, a' coimhead na grèine ag èirigh air Beinn Cruachan.

Bha foighidinn aig Lachann le clann agus daoin' òga. Tha iomadh sgeul aig mo bhràthair air cluich agus cleasan a bhiodh aca sna làithean-saora. Feasgar ag iasgach thar Tìr a' Phùir, faisg air a' chladach, thàinig iad air bodha 's e loma-làn de dh'iasg. Thachair seo airson latha no dhà. Bha iongnadh mòr air m' athair. Bha an t-iasg air a bhith gann, 's cha robh na gillean air falbh ro fhada, agus cha robh iad ag innseadh dha mun bhodha. Nuair a fhuair e a-mach, thug e 'Bodha Lachainn' air!

Dh'fheumadh cur-seachadan a bhith aig seòladairean, 's iad cho fada aig muir. Bu thoigh le Lachann leabhraichean a leughadh, ach bha e gu sònraichte deònach air a bhith ag obair le làmhan. Bhiodh e a' cruthachadh bhàtaichean beaga de gach seòrsa agus nithean eile mar taighean-solais. Cuideachd, bha sgil an t-seòladair aige air bàtaichean crìona a chur ann am botail. Bha taigh agus gàrradh brèagha aige ann an Kilwinning, far an do dh'ionnsaich e goilf a chluich leis na balaich aige. Bhiodh e fhathast a' cluich na pìoba-mòire agus a' brosnachadh a mhic, Seumas, a fhuair a bhith na phìobaire leis na Scots Guards.

Cha chuala mi Lachann riamh a' seinn, agus bhithinn a' smaoineachadh gur dòcha gur ann air an adhbhar sin nach robh e a' cur fonn air na h-òrain. Ach bha iomadh bàrd, dh'fhaodte a' chuid bu mhotha, nach robh a' cur fonn ùr air na h-òrain aca. Nuair a chrìochnaicheadh e dàn, bha e ga chur ann an làmh-sgrìobhadh sònraichte math, ach sna *phonetics* aige fhèin, gu Seumas an Lios Mòr, agus bha esan a' feuchainn, le cuideachadh a' phiàna, ri fonn freagarrach a chur air. Fhuair mise òrain Lachainn bho Sheumas.

Lachlan MacDonald (1889-1956)

Lachie must have been only about two years of age when he went to Lismore. Like John and James, he left school at fourteen and went to sea. We know he sailed abroad because he speaks in his love song of being 'out by the side of America'. Like James, Lachie found work with the ICI ships and eventually went to the Nautical College in Glasgow and got his Master's Certificate.

He married Jean MacRae from Portree in Skye, and they made their home in Irvine. They raised three boys - John, Colin and Hamish - and a girl, Nan. The only surviving child is Colin, who has been living in the Bahamas for many years now.

I was just six years old when my grandmother in Port Ramsay died. As she lay in her house in the coffin, it was Uncle Lachie who gently picked me up and said I must touch her face, as was the custom at home. I have many warm memories of my uncle, who was, of course, named for his grandfather, Lachlan Livingstone. He was a kind, gentle man, rather shy, but with a great sense of humour and fun.

On summer holidays at Achnacroish, he would rise at six in the morning while everyone else was still asleep, put on the coal fire and set off up the hill and over the fields to a hill called the Hill of the Two Lochs, which has a beautiful and spectacular view of Lismore. The two lochs are Loch Linnhe to the east and the Linn of Morvern to the west. There he would sit and think, watching the sun rise behind Ben Cruachan - probably composing verses - until breakfast time!

He had patience and empathy with children and young people. My brother Lachlan has many stories about the fun and adventures they had. They went fishing one day just off Tirfuir and were not far from the shore when the fish were suddenly there in abundance. They had found a sunken rock, not very deep, where fish feed. They kept repeating this big catch for a few days. James was puzzled and piqued. Where and how were they getting so many fish in such a short time? When they told him, he called it 'Lachie's Rock'!

Sailors had many hours to while away when they were at sea. Lachie enjoyed reading, but probably his main pastime was making models of all kinds of boats and other things, like lighthouses. Like many sailors, he could magic little boats into bottles! At home in Kilwinning he enjoyed working on his house and lovely garden. He learned to play golf with his sons, but he still played the pipes, and encouraged his son Hamish, who became a piper with the Scots Guards.

I never heard Lachie sing, and I used to think that was why he did not make tunes for his songs, but of course many bards didn't make new tunes for their songs. Having completed a poem, Lachie would send it to James, who would try, often with the help of the piano, to make a suitable tune for it. Lachie's songs were then passed on to me by my father.

Cha d' Fhuair mi Fios na Pàrtaidh

Bhon a thòisich sinn le Comann Eachdraidh Lios Mòr tha daoine air a bhith a' cuimhneachadh air iomadh rud a chaidh seachad. Chuimhnich sinn air pìosan beaga - air rann no dhà de dh'òran a rinn Lachann airson pàrtaidh a bha anns an Taigh Mhòr, Uaimh Nèill, a bhuineadh do dh'uachdaran à Sasainn den ainm Fell.

'S e brìgh an sgeòil nach d' fhuair Lachann agus companach dha, Eòghann Mac an Lèigh, fios na pàrtaidh bho na searbhantan, ged a fhuair gach gille òg eile cuireadh. Ach bha iadsan a-muigh am falach, ag èisteachd 's a' faighinn dealbh air a' phàrtaidh tron uinneig.

Dh'fhaodadh samhlachas a bhith air a tharraing eadar seo agus 'Mo Bhriogais Ghoirid,' a rinn Lachann Dubh. Tha na balaich a' dol don Taigh Mhòr a dh'fhaicinn nan cailean a tha ag obair mar shearbhantan. Tha sgaradh fhathast eadar na daoine cumanta agus na h-uachdarain.

Sèist
Mo chridhe trom, 's duilich leam,
Muladach 's mar tha mi,
Mar chuir na cailean cùlaibh rium
'S nach d' fhuair mi fios na pàrtaidh.

Bha 'n Leòdhasach ann 's coilear air
'S lèine gheal gu shàiltean,
'S e feuchainn ri còrdadh
Ri tè nach pòs gu bràth e.

B' e Eairdsidh Bàn am butler,
Joack 's e trang a' waiteadh;
Bha Lagan aig na h-uinneagan
'S a chridhe goirt ag èisteachd.

I Didn't Get an Invitation to the Party

Lismore Historical Association has encouraged us to recall old stories and old songs. This song fragment was remembered by Cathie MacCormick. Lachie composed the song when he and his friend Hugh Livingstone were the only boys not invited by the servant girls to a party in the Big House, owned by English landlords and known as Neil's Cave. They hid outside and had furtive, illuminating glimpses of the festivities within.

Comparisons could be drawn with Lachann Dubh's verses in 'My Short Trousers'; in both Mull and Lismore the boys were going to see the servant girls in the big house. There was still a wide class distinction between the ordinary people and the landowners.

Refrain
My heart is heavy and I'm sorry,
How melancholy I am,
Because the girls ignored me
And I didn't get an invitation to the party.

The Lewisman was there with a collar
And a white shirt down to his heels,
Trying to come to an agreement
With one who will never marry him.

Fair Archie was the butler
And Joack was the waiter;
Laggan was at the windows
Listening, with a sore heart.

Òran Gaoil

Seo òran le duine òg lasanta a fhuair an gealladh-pòsaidh a bha e a' lorg. Tha e a-nis 'mach ri slios Ameireaga' agus e ga h-ionndrain gu goirt. Rinn Lachann an t-òran anns a' bhliadhna 1913. Dh'innis m' athair dhomh sgeul mu dheidhinn nan làithean suirghe aig Lachann agus Sìne. Bha Lachann air bòrd bàta air acair faisg air Port Rìgh, àite-còmhnaidh Sìne, ach chan fhaodadh na seòladairean dol air tìr. Dè b' urrainn dha a dhèanamh? Nuair a thuit an dorchadas, cheangail e aodach air mullach a chinn agus shnàmh e air tìr. Cha b' iongnadh gun do phòs i e! Cha robh Sìne ach naoi bliadhn' deug nuair a phòs iad.

Sèist
Gura trom a thug mi gràdh
Don chaileag àlainn cheanalta -
Nìonag òg a' bhroillich bhàin,
Gruagach òg nam meall-shùilean.

Nuair chuir mi eòlas ort, a rùin,
Cha robh thu ach ad chaileag bheag;
D' fhalt na fhilleadh sìos do chùl -
Mo luaidh, gur tu bha eireachdail.

Tha do ghruaidhean mar an ròs,
'S gur maiseach tha do phearsa leam;
'S e do bhòidhchead rinn mo leòn,
'S cha bhi mi beò mur faigh mi thu.

A-nochd 's mi mach air àird a' chuain
'S mi smaoineachadh, a leannain, ort,
Cha dèanainn suap le tè a b' uaisl',
A ghaoil, on thug thu 'n gealladh dhomh.

'S ged tha mi 'n dràst' cho fada bhuat,
'S mi mach ri slios Ameireaga,
Gur h-uaigneach leam gach là is uair
Bhon àm a rinn sinn dealachadh.

Captain Lachlan MacDonald, during WW2.

A Love Song

This is the passionate love song of a young man who has recently been accepted by the girl of his desire. It is for Jean MacRae from Skye - who did, indeed, become his wife, when she was just nineteen. In the song Jean has given her promise and he is now sailing near America, missing his betrothed and praising her. My father told me a romantic story about Jean and Lachie's courting days. Lachie was a very young seaman on a ship anchored in a bay near Portree, where Jean lived. But the sailors were not allowed ashore. What could he do? When darkness fell he tied his clothes on top of his head and swam ashore. No wonder she married him! We know exactly when he made this song, as he has written 'Composed in 1913' on the original copy.

Refrain
Deeply did I fall in love
With the beautiful kind girl,
Young girl of the white breast,
Young maiden of the enticing eyes.

When I first became acquainted with you, love,
You were just a little girl
With your hair in plaits down your back -
My darling, you were enchanting.

Your cheeks are like the rose
And to me your person is elegant;
It was your beauty that wounded me,
And I can't live without you.

Tonight when I'm out on the high seas
And thinking about you, sweetheart,
I would not exchange you for an aristocrat,
My beloved, since you gave me your promise.

Though I am now so far from you,
Out by the side of America,
Lonely to me is every day and hour
From the time we parted.

Òran nam Faochagan

Rinn am bàrd an t-òran ann an 1929. Tha e coltach gun robh e fhathast a' seòladh thairis. Bha cianalas air airson na dòigh-beatha a bh' aige na bhalach. Nam b' urrainn dha dol dhachaigh don tràigh eadhon sa gheamhradh, mar a bha mòran de na maraichean a-nis a' cleachdadh. Cha robh tighinn-beò furasta airson na cuid bu mhotha de na daoine aig an àm seo.

Nuair thèid an làn gu shìos a' mhara,
Tha cladach farsainn raon ann;
Tha feumainn tilgte na bhadan
Falachadh na maoraich;
Gheibh sinn mùsgan agus coilleag
Taobh Rubh' Àird a' Chaoile;
Beagan cheum a-null don Chamas,
Gheibh sinn breallaich daonnan.

Nuair bha mi òg is mi nam bhalach,
Gach seòrsa bha ri fhaotainn,
'S bhiodh an òigridh tric ag aiseag -
Le sòlas bha sinn aotrom -
Bho Phort nam Maorlach, Càrna Caigeann,
Siùna 's Eilean nan Caorach,
Port a' Chaisteil, Sgeir a' Chapaill,
Ramasa 's Rubh' na Faoilinn.

Tha maraichean an taic a' bhaile,
Gaisgich òg is aosta,
'S gur tric a tha mi fhèin den bharail
Nach eil iad idir faoineil;
Nuair thig an geamhradh thèid iad dhachaigh
'S don tràigh a thrusadh fhaochag,
Mo chàirdean a bha shìos an Lagan
'S na clisgich bha rim thaobh ann.

'S ged dh'fheumas mi bhith sireadh m' arain
A' cuartachadh an t-saoghail,
'S iomadh oidhche 's mi aig mara
Ri gailleann 's i sracadh aodaich,
Bidh mi cuimhneachadh air na balaich
Tha 'm fasgadh bun an Fhaoilinn
A h-uile h-oidhche riamh nan cadal
'S san là a' trusadh fhaochag.

The Whelk Song

Lachie wrote this song in 1929 in his own Gaelic phonetics. He was, apparently, still sailing deep-sea and was very homesick for the lifestyle he had as a boy. If only he could go home to work ashore, even for the wintertime, as many other sailors from Port Ramsay were doing. It was not easy to scrape a living from croft and shore at this time.

When the tide ebbs to low water,
It leaves a wide field-like shore;
The seaweed thrown in bundles
Hides the shellfish;
We will get spout-fish and cockles
Beside Rubha Aird a' Chaoil
And a short step over to the bay
We will always get hose-fish.

When I was a young boy,
Every kind was to be had:
The young people would often cross the ferry -
We were carefree with happiness -
From Port nam Maorlach, Carna Caigeann,
Shuna and Eilean nan Caorach;
Port a' Chaisteil, Sgeir a' Chapaill,
Ramsay and Rubha na Faoilinn.

There are sailors near the village,
Heroes young and old,
And often I am of the opinion
That they are not at all foolish;
When winter comes they go home
And go to the shore to gather whelks,
My friends who are down in Laggan
And the timid ones who were by my side.

And although I have to earn my bread
By circling the world,
Many a night when I'm at sea
With a gale tearing the sails,
I remember the boys
In shelter under the Faoilinn,
Asleep every single night
And by day gathering whelks.

Mo Shoraidh don Eilean

'S ann air oidhche dhubh dhorcha is e aig muir a rinn Lachann 'Mo Shoraidh don Eilean.' Tha e ag ùrnaigh gum bi an Cogadh seachad is gum faigh e dhachaigh do Lios Mòr a-rithist. Tha mi a' smaoineachadh gun do rinn e an t-òran seo aig toiseach a' Chogaidh. Na mhac-meanmna tha e a' faicinn na grèine ag èirigh air madainn shamhraidh air Lios Mòr - is e fhèin, dh'fhaodte, na shuidhe air Cnoc an Dà Loch.

Mo shoraidh don eilean
A dh'àraich mi òg,
Eilean Liosach uain' measach,
Gun nas bòidhch' san Roinn-Eòrp';
Bidh mo smuaintean ag imeachd
Do gach coir' agus stòr,
'S b' e mo dhùrachd bhith tilleadh
Do dh'eilean an fheòir.

Air moch-mhadainn shamhraidh
Nuair a dh'èireas a' ghrian,
An aonaidh làn neòinean
'S driùchd na h-oidhch' air an t-sliabh;
Am fasgadh nan àrd-bheann,
Tìr fhàsail nam fiadh,
Eilean Liosach mo ghràidh-sa -
'S tu tha tàladh mo mhiann.

Gur tric mi gam bhuaireadh
'S mi uaigneach bho chàch,
Mo chridhe fo uallach
A bhith cuimhneach' mar bha,
Am bothan bàn aolaicht'
Ri gualainn na tràgh'd,
'S na daoine bha sùrdail -
Cha thill iad gu bràth.

'S iomadh fear tha mar tha mi
An dràst' air a' chuan,
A' cogadh ri nàmhaid
Tha gun fhàbhar gun truas;
'S ma thèid mar as àill leam,
Gheibh sinn fhathast ar buaidh,
'S thèid mi 'n deireadh mo làithean
A thàmh don taobh tuath.

Taigh-solais Lios Mòr.

My Blessing on the Island

This song was composed while the bard was at sea during the Second World War. He imagines being on Lismore on a summer morning watching the sun rise - probably from the Hill of the Two Lochs. He remembers his beloved native island with pleasure and longing. If his dearest wishes are realised, victory will be won and he will return to spend his last days on Lismore.

My blessing on the island
Where young I was reared,
The fruitful green island of Lismore -
There is no more beautiful in all Europe.
My thoughts travel
To every dell and peak,
And my desire is to return
To the island of grassy pastures.

Early on a summer morning
When the sun rises,
The low field beside the shore is full of daisies
And the dew of the night is on the slope;
In the shelter of the high mountains,
The solitary land of the deer,
My beloved island of Lismore -
You entice my desires.

Often I am disturbed,
Remote from my people,
My heart heavy remembering
How things were,
The white-washed cottage
In the shoulder of the shore
And the spirited people
Who will never return.

Many a man is like me
Now on the ocean,
Fighting an enemy
Without compassion or pity;
If things happen as I would wish,
We will win our victory,
And I will go to the north
To end my days.

Òran don Ghille Bheag

Air tàillibh a' Chogaidh, chan fhaca am bàrd Lachann beag, mac a bhràthar, gus an robh e trì bliadhna dh'aois. Ach an uair sin rinn e tàladh, a' moladh a' bhalaich bhig. Tha am bàrd brònach a bhith ga fhàgail aig deireadh làithean-saora ann an Lios Mòr, ach toilichte gum bi e san eilean uaine sàbhailte. Cha robh Lios Mòr buileach sàbhailte aig àm a' Chogaidh a chionn 's gun robh na *convoys* a' cruinneachadh san Linne Sheileach airson nam *barrage balloons* a bha gan deasachadh an Lios Mòr. B' e seo a' bhliadhna 1942.

Sèist
Mo rùn air a' ghille bheag,
'S tu rinn mo chridh' a thàladh -
'S e leòn mi 'n-diugh bhith dealach' riut
'S gur muladach a tha mi.
Mo rùn air a' ghille bheag.

Lachlan with his sister and father.

An eilean Liosach uain' an aoil
Tha thu a' faighinn d' àrach,
'S, a Lachainn bhig dan tug mi gaol,
Gur truagh tha mi gad fhàgail.
Mo rùn air a' ghille bheag.

Tha do dhà ghruaidh mar ròs nam bruach
Air aghaidh bhòidheach bhàidheil;
Tha falt do chinn mar shìoda mìn
'S tu uasal ann ad nàdar.
Mo rùn air a' ghille bheag.

Nuair bhios tu 'd shuain 's mi mach air cuan
A' cogadh ris an nàmhaid,
Bheir tàmh dam smuain gu bheil thu tuath
San eilean uaine sàbhailt'.
Mo rùn air a' ghille bheag.

Is e mo dhùrachd dhuit, a rùin,
Saoghal fada 's slàinte,
Is fàillinn cha tig a chaoidh
Sa ghràdh a thug am bàrd dhuit.
Mo rùn air a' ghille bheag.

Mas e 's gum buannaich mi droch uair,
Thèid mi cuairt mar b' à'ist dhomh
Don eilean Liosach, tìr mo luaidh
San d' fhuair mi greis gam àrach.
Mo rùn air a' ghille bheag.

A Song for the Little Boy

Because of the War the bard did not see his new nephew, Lachlan, until the summer of 1942, when Lachlan was three years old. In this lullaby he praises the child and wishes him a long and healthy life. He is sad to be leaving the little boy, but when he is back at sea and in the War it will be a solace to know that Lachlan is safe on the green isle of Lismore. In reality, of course, Lismore was not altogether safe during the War, as convoys of ships gathered in Loch Linnhe to get equipped with their barrage balloons, which were supplied by Navy and Air Force personnel stationed on the island.

Refrain
My love to the little boy -
You have captured my heart;
Parting with you today has wounded me
And I am very sad.
My love to the little boy.

On the green lime island of Lismore
You are being reared,
And, little Lachlan whom I love,
I am sad to be leaving you.
My love to the little boy.

Your two cheeks are like the rose of the hillside
On a lovely kind face;
The hair on your head is like fine silk
And you are noble in your nature.
My love to the little boy.

When you are sound asleep and I am out
On the ocean fighting with the enemy,
It gives peace to my thoughts that you
Are safe in the green island of the north.
My love to the little boy.

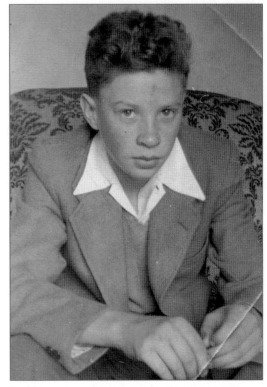

Lachlan.

My wishes for you, my love,
Are long life and good health,
And the love that the bard has given you
Will never fail.
My love to the little boy.

If I survive this bad time,
I will make a trip as was my custom
To the island of Lismore, my beloved place,
Where I got part of my upbringing.
My love to the little boy.

Shìneag Bheag

Seo tàladh do dh'ogha Lachainn, Sìne NicRath Mhàrtainn, a rugadh ann an 1943 agus a bha air a h-ainmeachadh air a seanmhair. Rinn e an t-òran molaidh seo aig muir, 's e ag ionndrain na caileig bhig àlainn.

Sèist
Shìneag bheag, gur tu mo ghràdh,
Daonnan bhith rid thaobh bu mhath leam;
'S uaigneach gach oidhch' is là
Bhon rinn mi d' fhàgail, mo chaileag.

Tha do ghruaidhean beag cho bòidheach
Ris an ròs air sliabh a' bharraich,
Falt cho mìn ri canach mòintich
'S cumadh finealta gun mhearachd.

Binne leam na guth na smeòraich
Do luinneag cheòlmhor anns a' mhadainn,
Air do bhathais dreach an t-samhraidh
Tha cur taitinn ann am chridhe.

Tric nuair tha thu 'd chadal suain
'S mi air mo ghlùinean taobh do leabaidh,
Facail chiùin gun cuir mi suas
Gum bi thu buaidh 's gun dìth, mo leannan.

'S tu mo neart is 's tu mo shlàinte,
As d' eugmhais cha bhi mi fallain -
Leis cho trom 's a thug mi gràdh dhuit,
Air gach tonn gum faic mi d' fhaileas.

Little Jean

This lullaby is for Lachie's grandchild, Jean MacRae Martin. She is named after her grandmother, Jean MacRae from Skye. The bard is at sea and feeling very lonely without the lovely little girl.

Refrain
Little Jean, you are my darling,
I wish to be by your side always;
Lonely is every day and every night
Since I left you, my wee girl.

Your little cheeks are so lovely,
Like the rose on the side of the wooded hill,
Hair as soft as the cotton grass
And an elegant shape without blemish.

Sweeter to me than the voice of the thrush
Is the sound of your song in the morning;
On your forehead is the hue of summer
Which puts pleasure in my heart.

Often when you are sleeping soundly
And I am on my knees by your bedside,
I put up a prayer of gentle words
That you, my darling, will be successful and never want.

You are my strength and my breath,
Without you I will not be whole -
The love I have given you is so strong
That on every wave I see your reflection.

Òran do Mhaighread

Bha dùil aig daoine gun dèanadh am bàrd-baile òrain do chàirdean, agus gu dearbh rinn Lachann seo. Bha e air làithean-saora leinn nuair a bha mise còig bliadhn' deug, agus aig cèilidh sheinn mi an t-òran a rinn e do Lios Mòr, 'Mo Shoraidh don Eilean.' B' e m' athair fear na cathrach, agus dh'innis e gum b' e seo òran ùr a rinn a bhràthair. Cha robh Lachann air a chluinntinn air a sheinn riamh roimhe seo agus bha e glè thoilichte. An uair a chaidh e air ais do Chille Mhèarnaig rinn e an t-òran seo dhòmhsa. Tha e a' dearbhadh cho làidir 's a tha mac-meanmna nam bàrd!

Don mhaighdeann òg uasal tha mi ris an duan seo,
Gur tric tha mo smuaintean air gruagach a' cheòil;
Nuair a thogas i sèist ann an Gàidhlig no 'm Beurla,
'S e sòlas bhith 'g èisteachd ri brìodal a beòil.

Tha i suidhichte, dòigheil, foillseach is bòidheach,
Bàidheil 's suairce, màlda gun phròis;
Guth milis mar smeòrach nuair sheinneas i òran -
Cumhachd do chànain a dh'àraich i òg.

Tha h-anail cho cùbhraidh ri neòinean nan aonaidh,
'N àm cadal no dùsgadh 's e luaidh an tè òg,
'S i smiorail gun fhàillinn mar earba san fhàsach,
'S le fìor-fhuil nan Gàidheal tha 'n nàdar gach seòrs'.

Mo dhùrachd don ghruagaich, tè dhonn a' chùil dualaich -
Gach taobh nì i gluasad gum buannaich i còir;
'S an gràdh thug am bàrd dhi cha lagaich 's cha bhàsaich
Gu deireadh a là is e sìnte fon fhòid.

Margaret (right) with mother and friend, c. 1950.

A Song to Margaret

The village bard was expected to make songs for friends and relatives. Lachie and his wife Jean came to stay with us on Lismore for a holiday when I was fifteen, and at a ceilidh in the Hall I sang his song 'My Farewell to the Island.' He had never heard it sung before. My father was in the chair and told the audience it was his brother's new song. Lachie was very pleased, and when he went back to Ayrshire he composed this song for me - proving conclusively how prone bards are to gross exaggeration!

I make this song to the young woman of noble nature -
Often are my thoughts on the musical maiden;
When she starts a chorus in Gaelic or English,
It is a joy to be listening to the charm of her voice.

She is composed, confident, sincere and beautiful,
Kind and polite, gentle without pride;
Her voice as sweet as the thrush when she sings a song -
The influence of the language which she grew up with.

Her breath is as sweet as the daisies of the shorefields,
In sleeping or waking the young one is beloved;
She is strong without blemish like a young roe in the deer-forest
And has the pure blood of the Gaels which is natural to her kind.

My good wishes to the maiden of the brown curly hair -
Everywhere she goes, may she be successful;
And the love the bard has given her will not weaken or die
Until the end of his days when he is laid to rest.

Maighread Dhòmhnallach Lobban.

An Rìbhinn Lurach

Sèist An tèid thu leam, a rìbh - inn lur - ach? Am

falbh thu leam, a rìbh - inn lur - ach?

Tiug - ainn, tiug - ainn do Bhràigh Mhuil - e,

'S cha bhi cunn - art dhuit no faill - inn.

An Rìbhinn Lurach

Sèist
An tèid thu leam, a rìbhinn lurach?
Am falbh thu leam, a rìbhinn lurach?
Tiugainn, tiugainn do Bhràigh Mhuile,
'S cha bhi cunnart dhuit no fàillinn.

Tiugainn leam don àite lurach
Nach eil a leithid anns a' Chruinne,
Taobh a' chaoil sam bi na luingeis,
Speuran a' mhullaich mar sgàthan.

Daoimean anns gach àit' a' deàrrsadh,
'M bun nan cnoc 's am bàrr nan slèibhtean -
Thug e bàrr air tìr na h-Èipheit
'S gu lèir air talamh Chanàain.

Tha gach meas ann 's tha gach luibh ann,
Tha gach nì nì feum do dhuin' ann -
Mèinnean òir am bun gach sruthain
A' boillsgeadh mar rionnaig a' deàrrsadh.

Biolair ann am bun gach fuarain,
Eilid anns a' ghleann 'n taobh shuas dheth -
'S tric a bha mi greis ga ruagadh,
'S bhiodh i buailt' mun cluinnt' an làmhach.

Mharbhainn coileach dubh is ròn dhuit,
Tàrmachan is damh na cròice,
Ach ma thèid thu leam don Chrògan,
A chaoidh rid bheò chan iarr thu fhàgail.

Stiùirinn bàta ri sruth lìonaidh,
Ged an robh a' mhuir na sìoban,
Nuair bhiodh luchd nam breacan grìseann
'S iad nan sìneadh air a clàraidh.

Stiùirinn bàta ri sruth fuaraidh
Fhad 's a dh'fhanadh clàr an uachdar,
'S gheibh thu dearbhadh san Leth Uachdrach
Nach sgeul tuaileis tha mi 'g ràdh riut.

Tha thu ro mhath air an ùrlar
Dol tarsainn anns an ruidhle dhùbailt';
'S gura math a thig an gùn duit
Ann am fasan ùr na Banrigh.

Tha d' fhalt dualach 's tu ga chìreadh,
Fiamh an òir dheth mu na cìrean,
'S leis a' ghaol a thug mi fhìn dhuit,
Leig mi air dìochuimhn' na h-àithntean.

Mhoire, 's i mo ghaol a' mhaighdeann
A tha còmhnaidh ann an Caoimhnis!
Cha tèid mise dh'Àth an Tuim leat
Mur toir thu le snaoim do làmh dhomh.

Mhoire, 's i mo ghaol an ainnir -
D' fhalt dualach na mhìle camag,
Do dhà ghruaidh mar ròs air mheangan,
Beul cho meachair 's bhon tig gàire.

Troigh chuimir am bòtainn thana
Nach lùb am feòirnean air faiche;
Calpa ghrinn air dhealbh a' bhradain
A dh'èireas ri caisil on t-sàile.

Chan iarrainn leat crodh no caoraich,
Òr no earras - chan e dh'aom mi -
Nam faighinn le còir 's le saors'
Bho Aonghas Mac an t-Saoir air làimh thu.

Mura biodh mo cheann air liathadh,
'S gun mi chòir bhith fichead bliadhna,
Bu tu m' aighear 's b' e mo mhiann thu
De na thàinig riamh bho Adhamh.

Ma Phòsas Mi, Cha Ghabh Mi Tè Mhòr

Sèist Ma phòs - as mi, cha ghabh mi tè mhòr, Cha
phòs 's cha taobh 's cha ghabh mi tè mhòr; Ma
phòs - as mi, cha ghabh mi tè mhòr - Gur
beag an tè dh'fhògh - nas dhòmh - sa. Gun
deach mi don *raffle* le cas - ag gun chùl, Ri
oidh - che gun gheal - ach gur beag dàil mo shùil; 'S cha
robh mi ga ghear - ain ged chosg - ainn ris crùn Nam
faic - inn mo rùn sa chòmh - dhail.

Ma Phòsas Mi, Cha Ghabh Mi Tè Mhòr

Sèist
Ma phòsas mi, cha ghabh mi tè mhòr,
Cha phòs 's cha taobh 's cha ghabh mi tè mhòr;
Ma phòsas mi, cha ghabh mi tè mhòr -
Gur beag an tè dh'fhòghnas dhòmhsa.

Gun deach mi don *raffle* le casag* gun chùl,
Ri oidhche gun ghealach gur beag dàil mo shùil;
'S cha robh mi ga ghearain ged chosgainn ris crùn
Nam faicinn mo rùn sa chòmhdhail.

Bha na nigheanan uil' air an dreasadh gu grinn,
Le sìoda gam mountadh 's gun cluinninn a shrann,
'S cha b' e gaol bhith nan cuideachd thug dhòmhsa dol ann,
Ach 's e na bha 'm cheann dan Tòiseachd.

Am fasan a bh' agam, gun d' lean e rium riamh,
Bha de dh'fhoighidinn agam na dh'fhanadh rium riamh;
'S an leannan a bh' agam gun deach ris an t-sliabh,
'S gun d' fhàg i mi 'm bliadhna 'm ònar.

*còta fada air a chleachdadh leis an fheadhainn Ghallda

Dòmhnall an Dannsair

Sèist Dòmhnall an Danns - air is srann aig - e tigh - inn - Bidh
lùb air a' chrann 's gach ball an ruigheadh; Nuair gheibh thu 'n taigh Ang - ais
dram no dith - is, Gun gearradh tu fig - ear air cabhs - air. 1. Am
bàt - a dubh dar - aich a th' ag - ad - sa daonn - an,
Cosnadh an ar - ain ag ais - eag nan daoine; Chan fhan thu aig bail - e là
gaill - inn no gaoithe - Gur co-dheas leat Faoilteach no samh - radh.

Sèist
Dòmhnall an Dannsair is srann aige tighinn -
Bidh lùb air a' chrann 's gach ball an ruigheadh;
Nuair gheibh thu 'n taigh Angais dram no dithis,
Gun gearradh tu figear air cabhsair.

Am bàta dubh daraich a th' agadsa daonnan,
Cosnadh an arain ag aiseag nan daoine;
Chan fhan thu aig baile là gaillinn no gaoithe -
Gur co-dheas leat Faoilteach no samhradh.

Sgiobair ga stiùireadh 's a shùil air an iarmailt,
'S i gearradh muir dhubh-ghorm gu dùthaich na riaghailt;
'S e baile nam bùthan tha 'n iùbhrach ag iarraidh,
Cho luath ris an fhiadh 's e na dheann-ruith.

Ri brais' an t-sruth lìonaidh gu sìnteagach uallach,
Nuair shèideadh am brìos oirre, shìneadh i gualainn;
Thèid i gu dìreach gu tìr nan daoin'-uaisle,
Ged shèideadh e cruaidh ann an ceann oirr'.

Nuair thog thu siùil bhàna ri bàrr a cruinn chaola,
Leumadh is chrathadh i, 's ghabhadh i 'n aodainn;
Sgrogadh tu bhonaid dà chromadh air d' aodann,
'S tu gearan an t-aodach bhith gann oirr'.

'S e MacIlleDhuibh a fhuair urram a' chruadail -
Sgoilteadh e 'm buinne na mheallaibh o cruachainn;
Seall sibh na luingeis, air eagal am fuadach,
A' fuireach an Cluaidh fad a' gheamhraidh.

Thu tighinn gu seòlta 's tu eòlach sna sgeirean,
Tha cliù ort, a Dhòmhnaill, feadh chòrsaichean eile;
Do chombaist an òrdugh ga seòladh san deireadh,
Gad chumail far Eilean nan Gamhna.

Do ghillean cho fileant' gu riofadh a h-aodaich,
Ainmeannan bòidheach air ròpannan caola;
'S mas e 's gun tig ceò ort ga seòladh tron Chaolas,
Bidh fear air gach taobh dhith le lanntair.

'S e 'm fasan a bh' agad nuair bha thu 'n tùs d' òige,
Air tilleadh do Glaschu dhachaigh thar bhòidse,
Dh'òladh tu uile do chuid san taigh-òsda
Is shuidheadh tu còmh' ri tè Ghallta.

Tha balaich a' bhaile seo tachairt ort daonnan,
Eagal nam blaigeardan 's bail' Inbhir Aora;
Cha b' iongnadh leam idir ged shèideadh tu caonnag
Nuair chì iad thu, laochain, 's an dram ort.

Tha uaislean a' bhaile seo tighinn gu stràiceil
Lem brataichean geala 's am bathar gud bhàta,
A' phacaid bheag Liosach 's i tighinn gu sàbhailt'
Le ìm agus càis gu MacLabhrainn.

Òran a' *Chlydesdale*

Sèist: Thug iad 'Cluaidh' air a' bhàt - a
luath seo - Cha till droch uair i o Mhaol na
h - Òdh - a; Guidheam buaidh leatha seòladh
chuan - tan Is saoghal buan do na bha ga
seòl - adh. 1. Tha mo dhùil riut a thighinn don
dùth - aich A Chluaidh na smùid ag - us criuth' gad
sheòl - adh, A thoirt cunn - radh air feadh na
dùth - cha, 'S bidh fear mo rùin-s' innt - e dh'ionns - aigh 'n òsd - air.

Sèist
Thug iad 'Cluaidh' air a' bhàta luath seo -
Cha tìll droch uair i o Mhaol na h-Òdha;
Guidheam buaidh leatha seòladh chuantan
Is saoghal buan do na bha ga seòladh.

Tha mo dhùil riut a thighinn don dùthaich
A Chluaidh na smùid agus criuth' gad sheòladh,
A thoirt cunnradh air feadh na dùthcha,
'S bidh fear mo rùin-s' innte dh'ionnsaigh 'n òsdair.

Seachad Giogha tron Linne Dhiùrach,
Gun d' leag i cùrsa gu sunndach, bòidheach,
'S bha fear na cuibhle fo mhòran cùraim,
'S i gearradh shùrdag a dh'ionnsaigh 'n Òbain.

A criuth' as ainmeile th' ann an Albainn,
Gillean calma is iad cho eòlach -
Bidh cairt-iùil aca 's iad ga leughadh
Tron Linne Shlèiteach, 's nach lèir le ceò i.

An t-eilean àghmhor san d' fhuair mi m' àrach,
Bidh sluagh ga fhàgail chaidh chur air fògradh;
'S i sgoltadh thonn ann an aghaidh tràghaidh,
'S gur lìonmhor àite sam fàg i dròbh dhiubh.

Aig luaths a' bhàta bidh tuathaich sàbhailt',
'S gheibh uaislean àrd' innte àite-còmhnaidh;
'S nan robh e 'n dàn dhi a bhith air sàile,
Cha robh 'm Prionnsa Teàrlach an càs le Flòraidh.

'S gur beag an t-iongnadh ged their iad bàt' riut,
'S gun dèanainn dàn dhuit a chur an òrdugh
Thoirt cliù a' bhàta air feadh an àite,
'S i toirt nan Gàidheal gu 'n àite-còmhnaidh.

Bidh an sgiobair, an sàr dhuin'-uasal,
Na sheasamh shuas toirt corr' uair dhaibh òrdain;
Bho Chloinn Lachainn bha a dhùthchas
Nach biodh air chùl ann an àm na còimhstri.

'S lìonmhor ainneart a th' anns an àm seo,
Sluagh ro mheallt' 's iad am feall air fòirneart,
Ach nan robh i ann an linn na h-aimhreit,
Gun robh i san fhaing ann 's na nàimhdean leònte.

Bàta Mhaol-Dòmhnaich

Sèist   Tha tobht - aich - ean 's a dar - ach air an ceang - al leis an iar - ann - Chan

eil   saor   an Grian - aig   a   dhèan - adh   na b' fheàrr;   Tha

dì - on air   a   dubh - thoiseach a   sgolt - adh   tonn - an fiadh - aich,   I

fal - bh   air   a   fiar - adh   's i 'g iarr - aidh   ro chàch.

Bàta Mhaol-Dòmhnaich

Tha tobhtaichean 's a darach air an ceangal leis an iarann -
Chan eil saor an Grianaig a dhèanadh na b' fheàrr;
Tha dìon air a dubh-thoiseach a sgoltadh tonnan fiadhaich,
I falbh air a fiaradh 's i 'g iarraidh ro chàch.

Fàgaidh mise 'm baile seo - chan fhan mi car ach mìos ann;
Thèid sinn do na h-Innsean le Oighrig mo ghràidh.
Nuair gheibh mi 'm bàta daraich air a tearradh mu Fhèill Brìde,
Gabhaidh sinn an Crìonan 's taobh shìos a' Chanàil.

Nuair a chithinn do làthaireachd gu h-àrd mun chraobh uinnseinn,
Bidh thu tighinn am chuimhne gach oidhch' agus là;
Chàireadh tu bàta is chàireadh tu cuibhlean -
Och nan och mur till thu rinn do Mhuile nam beann àrd.

Stiùireadh i air Conach, far 'n do mhallaich iad na daoine,
Chuir thu riof na h-aodach is shaor thu cuid ràmh,
'S ghlaodh thu ris na balaich a cuid haileardan a rìofadh -
Mu dheireadh thug na sìobain a' phìob às do làmh.

'S mise tha gu muladach 's mi air m' uileann air an fhaoilinn,
A' feitheamh air an fhaochag gus an traoigh a' mhuir-làn.
Bu ghasta leam bhith 'n cuideachd leat nuair bhiodh tu air an daorach -
'S ann an sin a ghlaodhainn, "Mo laochan am bàrd!"

A Leathanaich on Taobh sa Leamhain

Sèist · A Leath-an - aich on taobh sa · Leamh - ain, Fhir a' bhreac - ain uas - ail, Gur

lìon - mhor a h-aon a chaidh gu bhàs · Air · linn · an stàil - inn chruadh - ach.

Sèist
A Leathanaich on taobh sa Leamhain,
Fhir a' bhreacain uasail,
Gur lìonmhor a h-aon a chaidh gu bhàs
Air linn an stàilinn chruadhach.

Seo dùrachd mo chridhe 's mo ghaol
Don eilean shaor tha luachmhor,
A bheir an tàmh do luchd na h-aois,
'S gur cùbhraidh caoin a bhruachan.

'S i 'n oighreachd bh' aig Loch Buidhe bh' ann,
Ri linn a call 's a buannachd,
'S i air a ceangal ris a' chrùn
Le cùmhnantan nach fhuasgail.

'S tha m' aitreabh, tha m' àite-dìòn
Fon chaisteal dhìonach uaignidh;
Tha seun an àigh mu chom 's ri shàil -
Chan fhaigh an nàmhaid buaidh air.

O, fiùran gun mhearachd no gun mheang
Fo bheanntannan an fhuarain,
Gun ghiamh, gun ghaoid, ach fiamh ad aghaidh,
Do bhaintighearn' ghaoil rid ghualainn.

O eilean mo chridh' agus mo ghaoil,
Chan eil e faoin no suarach,
An t-eilean a chuir smear sa chnàimh
Nach diùltadh Gall a bhualadh.

Oighreachd Locha Buidhe

Sèist Tha sgeul ùr am bliadhn' ag-am Bho theanga gheur nam bheul Mu
Leath-an-aich a' chinn-idh mhòir 'S ann dhaibh bu chòir bhith treun;
Luchd nam beann, nan gleann, nam bratach, Gaisgich gun ra-treut,
'S an fhìor fhuil uas-al àrdanach Bidh "Buaidh no bàs!" mun gèill!

Tha sgeul ùr am bliadhn' agam
Bho theanga gheur nam bheul
Mu Leathanaich a' chinnidh mhòir -
'S ann dhaibh bu chòir bhith treun;
Luchd nam beann, nan gleann, nam bratach,
Gaisgich gun ratreut,
'S an fhìor fhuil uasal àrdanach -
Bidh "Buaidh no bàs!" mun gèill!

Tha choille chùbhraidh dlùth don bhaile,
Tha langanaich aig fèidh;
Taigh mòr nan sgàthan tùraileach
'S e deàrrsadh ris a' ghrèin.
Tha bhiolair ghlas 's an duilleach àrd
An gàrradh mòr nan seud,
'S bidh flùr na Banrigh taobh na sràid -
Cha shearg gu bràth 's cha stèinn.

Bho thìr nam beann 's fo sgàth nan gleann
Tha 'n eilid ann 's gach taobh,
Tha torm nan allt a' ruith trom cheann
Nuair bha mi ann 's mi faoin;
Na h-eòin ruadha 'g èirigh suas
Is fuaim ac' mar a' ghaoth -
Bhiodh iad tarraing air na h-aighreachan
'S a' mhil air bhàrr an fhraoich.

Mo Bhriogais Ghoirid

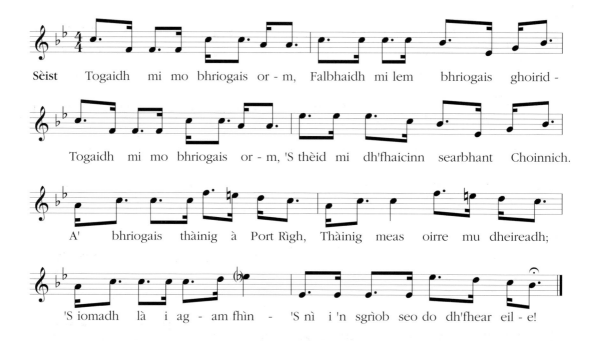

Sèist — Togaidh mi mo bhriogais or - m, Falbhaidh mi lem bhriogais ghoirid -
Togaidh mi mo bhriogais or - m, 'S thèid mi dh'fhaicinn searbhant Choinnich.
A' bhriogais thàinig à Port Rìgh, Thàinig meas oirre mu dheireadh;
'S iomadh là i ag - am fhìn - 'S nì i 'n sgrìob seo do dh'fhear eil - e!

Sèist
Togaidh mi mo bhriogais orm,
Falbhaidh mi lem bhriogais ghoirid -
Togaidh mi mo bhriogais orm,
'S thèid mi dh'fhaicinn searbhant Choinnich.

A' bhriogais thàinig à Port Rìgh,
Thainig meas oirre mu dheireadh;
'S iomadh là i agam fhìn -
'S nì i 'n sgrìob seo do dh'fhear eile!

Òran an *Land League*

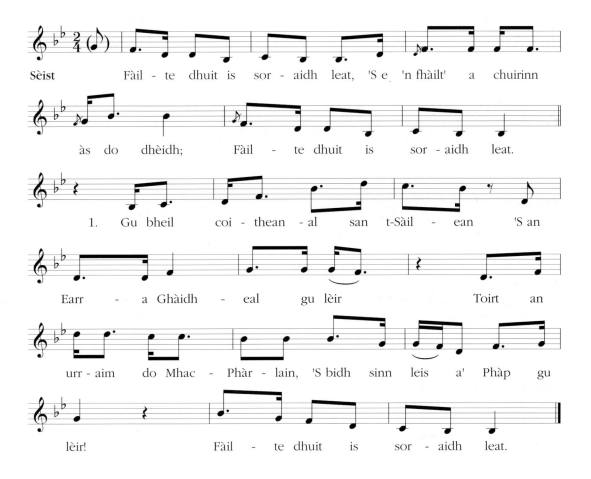

Sèist Fàil - te dhuit is sor - aidh leat, 'S e 'n fhàilt' a chuirinn

às do dhèidh; Fàil - te dhuit is sor - aidh leat.

1. Gu bheil coi - thean - al san t-Sàil - ean 'S an

Earr - a Ghàidh - eal gu lèir Toirt an

urr - aim do Mhac - Phàr - lain, 'S bidh sinn leis a' Phàp gu

lèir! Fàil - te dhuit is sor - aidh leat.

Sèist
Fàilte dhuit is soraidh leat,
'S e 'n fhàilt' a chuirinn às do dhèidh;
Fàilte dhuit is soraidh leat.

Gu bheil coitheanal san t-Sàilean
'S an Earra-Ghàidheal gu lèir
Toirt an urraim do MhacPhàrlain,
'S bidh sinn leis a' Phàp gu lèir!

Nis on chuir sinn ann an Cùirt thu,
Staigh fo chùmhnantan nach gèill,
Thug thu uachdarain gu 'n dùbhlan
Bha gar sgiùrsadh mar na *slaves.*

Feuch gun cuimhnich thu gu h-àraidh
Air na daoin' aig nach eil sprèidh -
Òr na Banrigh a sgaoileadh,
An ceàrn seo den t-saogh'l na fheum.

'S chuir na bochdan ann am dhùthaich
Ùrnaigh dhùrachdach nad dhèidh,
Criopalaich is doill gun sùilean
'S daoine 's crùbaiche nan ceum.

Ach ma gheibh mi mo dhùrachd
Is gach cùrsa cur rium rèidh,
Gheibh sinn gach nì air bàrr don dùthaich
Is fuireach ann ar dùthaich fhèin.

Òran a' Cheidhe

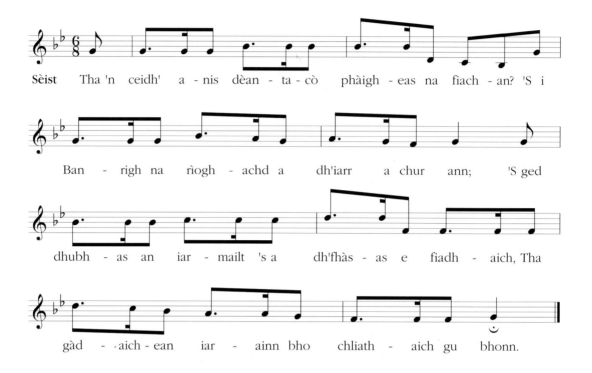

Sèist Tha 'n ceidh' a - nis dèan - ta - cò phàigh - eas na fiach - an? 'S i

Ban - righ na rìogh - achd a dh'iarr a chur ann; 'S ged

dhubh - as an iar - mailt 's a dh'fhàs - as e fiadh - aich, Tha

gàd - aich - ean iar - ainn bho chliath - aich gu bhonn.

Òran a' Cheidhe

Tha 'n ceidh' a-nis dèanta - cò phàigheas na fiachan?
'S i Banrigh na rìoghachd a dh'iarr a chur ann;
'S ged dhubhas an iarmailt 's a dh'fhàsas e fiadhaich,
Tha gàdaichean iarainn bho chliathaich gu bhonn.

Tha saoir às a' Chrìonan an taobh seo Loch Fìne -
Nach iomadach innleachd is cèaird tha nan ceann;
O, shaoileam gu dìlinn nach fhaicinn-sa crìoch air -
Tha bàtaichean Ìle nis sìnte ri cheann.

Tha òganaich mì-mh'ail aig taice na crìche,
An cuid chlèireach a' sgrìobhadh nach b' fhiach a chur ann;
Bidh soitheachan rìomhach ri chliath'ch mu Fhèill Brìde,
Am brataichean sìoda 's iad rìofta rin ceann.

Mar ghealbhan is fuachd tha 'n fhairge ga bhualadh,
'S cha charaich 's cha ghluais e - mar chruachan nam beann;
Tha 'n stuth tha air uachdar 's e leaghta mar luaidhe,
'S bidh sgeul air na tuaith ann an *Cuairtear nan Gleann*.

Chì mi taigh-òsta aig Creagan na Sròine,
'S nuair chruinnicheas dròbhairean 's mòran dhiubh ann,
Cha chluinn thu den còmhradh ach prìsean na feòla
Is sìor ghabhail òran, 's na dròbhan san fhang.

Tha mise san Fhaoilinn on 's cuimhneach le daoine,
Bhon thug uachdaran saoghalt' dhomh saogh'l a bhith ann,
Gun chrodh no gun chaoraich, air bheagan dan t-saoghal,
Ach tha Sasannaich daonnan cho fialaidh bhon làimh.

Tha gheataichean bòidheach gabhail fasgadh sa Chrògan,
An acarsaid thìorail fo chìochan nam beann;
Cadal gun chùram gus an dèan iad dùsgadh,
A' feitheamh a stùcan gu mullach nam beann.

Muile nam Fuar-bheann Mòr

Sèist O eil - ein mo rùin tha mais - each don t-sùil, 'S ann

ann a chaidh m' àr - ach òg; Bu

bhòidheach do shnuadh air moch- mhad - ainn chiùin 'N àm

èir - igh don driùchd sna neòil; 'S e

nuall - an a' chuain a dhùisgeadh mo smuain Nuair

bhith - inn gam chlaoidh le bròn, 'S ged

tha mi nis uait cho fad - a thar chuan, Cha

tèid thu à m' chuimhne rim bheò.

Muile nam Fuar-Bheann Mòr

O eilein mo rùin tha maiseach don t-sùil,
'S ann ann a chaidh m' àrach òg;
Bu bhòidheach do shnuadh air moch-mhadainn chiùin
'N àm èirigh don driùchd sna neòil;
'S e nuallan a' chuain a dhùisgeadh mo smuain
Nuair bhithinn gam chlaoidh le bròn,
'S ged tha mi nis uait cho fada thar chuan,
Cha tèid thu à m' chuimhne rim bheò.

Gum b' uallach mo cheum san ùr-mhadainn Chèit,
'S mi dìreadh an t-slèibh 's nan tòrr:
Bhiodh cuthag air crann sa ghleannan ud thall
'S mac-talla ri aithris a beòil;
'S cho fad' 's tha muir-làn a' lìonadh 's a' tràgh'dh,
Bithidh Nàdar a ghnàth mar as còir,
'S bu deurach mo shùil nuair thug mi mo chùl
Ri Muile nam fuar-bheann mòr.

O Mhuile nan craobh, gur cùbhraidh do raon
Le muran is fraoch nach gann -
Nan èireadh Clann Phàil gu ceannach is pàigh'dh,
Bhiodh pàirceannan làn mar a bh' ann;
'S gur sgaoilteach an t-àl bha coibhneil is blàth
Ri caraid is nàmh san àm,
'S tha comann mo rùin a' cnàmh anns an ùir
Sa chlachan tha naomh don clann.

O, b' àlainn leam riamh bhith coimhead 's a' ghrian
A' ciaradh san iar mar òr
'S Caol Muile mo ghaoil fo dhubhar nan craobh,
'S na luingis a' sgaoileadh sheòl;
'S do mhonaidhean àrd le ceò air am bàrr
'S na fèidh len cuid àil nan còir;
B' e dùrachd mo chrìdh' bhith tilleadh a-rìs
Do Mhuile nam fuar-bheann mòr.

An t-Eilean Beag Liosach

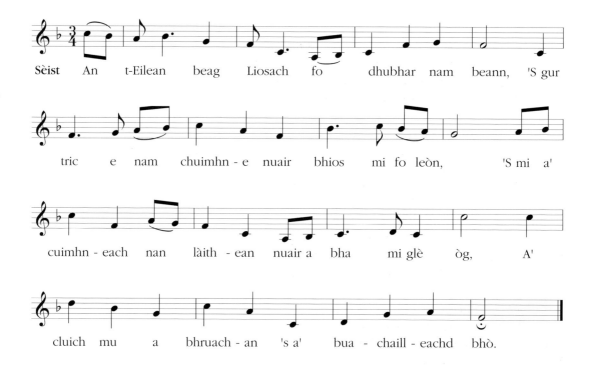

Sèist An   t-Eilean   beag   Liosach   fo   dhubhar   nam   beann,   'S gur

tric   e   nam   chuimhn - e   nuair   bhios   mi   fo   leòn,   'S   mi   a'

cuimhn - each   nan   làith - ean   nuair a   bha   mi   glè   òg,   A'

cluich   mu   a   bhruach - an   's a'   bua - chaill - eachd   bhò.

An t-Eilean Beag Liosach

Sèist
An t-Eilean beag Liosach fo dhubhar nam beann,
'S gur tric e nam chuimhne nuair bhios mi fo leòn,
'S mi a' cuimhneach nan làithean nuair a bha mi glè òg,
A' cluich mu a bhruachan 's a' buachailleachd bhò.

O eilein mo ghràidh-sa, gur àillidh do shnuadh,
'S gach lus a rinn Nàdar tha fàs air do bhruaich,
'S do chluaineagan àlainn tha 'g àrach na sprèidh -
'S e dh'fhàg mi fo chràdh-lot gad fhàgail am dhèidh.

'N àm èirigh na grèine gum b' èibhinn bhith ann
Ag èisteachd na h-eunlaith air bharraibh nan crann:
An uiseag gu ceòlmhor gu h-àrd anns an speur,
A' chuthag gu sùrdail cur smùid dhith air gheug.

Gur bòidheach an sealladh bhith coimhead a-null
Air Muile nan gleannaibh dan tug mi mo dhùil,
Le choireachan greannach 's a bheanntannan àrd -
Ri teas an àm samhraidh bidh sneachd air am bàrr.

'S b' e mo mhiann a dhol dhachaigh gu eilean mo ghaoil
'S don bhothan bheag gheal ud tha 'n achlais a' chaoil;
'S cha dhìt mi gu bràth e, àit' àghmhòr mo rùin,
'S na daoine rinn m' àrach 's tha cnàmh anns an ùir.

Òran do Bhalachan

Sèist   1. Mo ghaol air a' ghiull - an, 's ann da bheir mi 'n t-urr - am, 'S le

ghàir - e làn fur - ain, 's gur lur - ach a ghnùis; Tha

ghruaidh - ean mar ròs - an 's a shùil - ean cho bòidh - each, 'S mo

mhi - ann a bhith còmh - la ri mòig - ean mo rùin.

Òran do Bhalachan

Mo ghaol air a' ghiullan, 's ann da bheir mi 'n t-urram,
'S le ghàire làn furain, 's gur lurach a ghnùis;
Tha ghruaidhean mar ròsan 's a shùilean cho bòidheach,
'S mo mhiann a bhith còmhla ri mòigean mo rùin.

Mo chridhe ris bàidheil nuair bhruidhneas e Ghàidhlig,
Cur am chuimhne na cànain a dh'àraich mi òg,
'S mi a' cluinntinn a' mhànrain a dh'ionnsaich a mhàth'r da,
'S gun èistinn le gàirdeas ri pràmhan a bheòil.

Tha anail cho cùbhraidh ri neòinean nam bruachan,
'N am cadail no dùsgaidh 's tu luaidh nam fear òg;
'S tu fallain gun fhàillinn mar bhreac air an t-sàile,
'S le fìor-fhuil nan Gàidheal bha nàdarr' dod sheòrs'.

Cha cheil mi air nàmhaid an spèis thug am bàrd dhuit,
'S tu uaibhreach, nàdarra, càirdeil, gun spòrs,
Bho shliochd nam fear làidir à dùthaich nan àrd-bheann,
'S gun òlainn do shlàinte 's gach àite mun bhòrd.

Mo chìocharan màlda, 's ann duit nì mi 'n dàn seo,
Gur uasal do nàdar 's thar chàich tha thu còrr;
Tha maise nad ghluasad is dreach ann ad ghiùlan,
'S gur iomadh bean-uasal bhios a' ruaig air do phòg.

'S e mo dhùrachd don uasal, fear bàn a' chùil dualaich,
Gach taobh nì thu gluasad gum buannaich do chòir;
'S gun seas thu gu dìleas ri cànain do shinnsean,
'S bidh cliù ort sna sgìrean tha crìonadh gun phòr.

Òran Gaoil

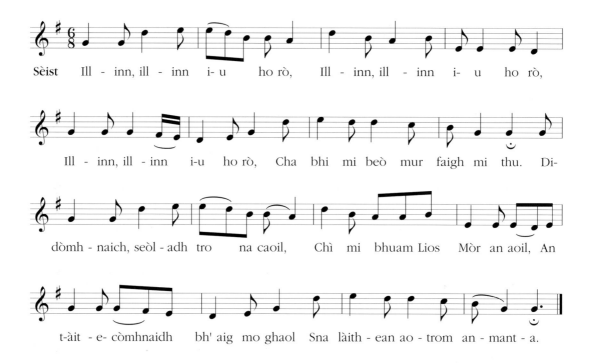

Sèist Ill - inn, ill - inn i - u ho rò, Ill - inn, ill - inn i - u ho rò,

Ill - inn, ill - inn i-u ho rò, Cha bhi mi beò mur faigh mi thu. Di-

dòmh - naich, seòl - adh tro na caoil, Chì mi bhuam Lios Mòr an aoil, An

t-àit - e- còmhnaidh bh' aig mo ghaol Sna làith - ean ao - trom an - mant - a.

Sèist
Illinn, illinn i-u ho rò,
Illinn, illinn i-u ho rò,
Illinn, illinn i-u ho rò,
Cha bhi mi beò mur faigh mi thu.

Didòmhnaich, seòladh tro na caoil,
Chì mi bhuam Lios Mòr an aoil,
An t-àite-còmhnaidh bh' aig mo ghaol
Sna làithean aotrom anmanta.

Tha d' fhalt ballach cualach dlùth
Sìos mud chluais na iomadh lùb,
'S chì mi 'n t-aoibhneas tha nad ghnùis
'S an rùn a fhuair an duine seo.

Tha do bhilean mar an ròs
'S bu mhilis leamsa do chuid phòg,
'S chan iongnadh mi bhith air do thòir,
'S cha bhi mi beò mur faigh mi thu.

Tha do nàdar coibhneil blàth,
Do chruth gun bheud o cheann gu sàil,
'S cha dìobair mi gu là mo bhàis
An gràdh a thug mi 'n chailin ud.

Nuair bhios càch nan cadal suain,
Bidh mise smaoineach ort, a luaidh,
Ach nuair a ruigeas mise Cluaidh,
Gun tèid gu luath gach smalan dhiom.

Bheir mise nis mo rann gu ceann
Is thèid mi sgrìob do thìr nam beann,
'S gun toir mi dhachaigh thu le deann,
'S cha bhi oirnn greann an aithreachais.

An t-Eilean Àlainn

Sèist An t-eil - ean àl - ainn san Linn - e

Mhar - bhairn - ich San d' fhuair mi m' àr - ach nuair bha mi

òg - Is tric mi smaoint - each - adh ort am

aon - ar: Gun toir mi gràdh dhuit gach là rim

bheò. 1. Nuair dh'èir - eas grian air sa mhad - ainn

shamh - raidh, Gur iad do chlann - sa bu mhiann bhith

ann, Ach tha iad sgaoilt - e air feadh an

t-saogh - ail 'S chan eil ach caor - aich ri taobh nan allt.

An t-Eilean Àlainn

Sèist
An t-eilean àlainn san Linne Mharbhairnich
San d' fhuair mi m' àrach nuair bha mi òg -
Is tric mi smaointeachadh ort am aonar:
Gun toir mi gràdh dhuit gach là rim bheò.

Nuair dh'èireas grian air sa mhadainn shamhraidh,
Gur iad do chlann-sa bu mhiann bhith ann,
Ach tha iad sgaoilte air feadh an t-saoghail
'S chan eil ach caoraich ri taobh nan allt.

Tha 'n còinneach fàsach a' cinntinn nàdar,
'S chan fhaic thu làrach nan daoine ciùin;
Le fuadach 's bàirlinn chaidh 'n cur thar sàile,
'S an t-àl a dh'fhàg iad, cha till iad ruinn.

Na cluaintean àlainn a dh'fheum iad fhàgail
A' dol nam fàsach gun bhò, gun chloinn,
'S na dailtean prìseil a threabh an sinnsear,
Chan fhaic thu nì annt' ach luachair dhonn.

Bha daoine càirdeil san eilean àghmhor
A chuireadh fàilt' oirnn nuair bha sinn òg;
'S e dhèanadh feum dhuinn a dhol air chèilidh
A dh'èisteachd sgeulachd nan daoine còir.

O seinn mun dealbh seo, a chlann nan Gàidheal,
Lios Mòr na h-Alba, fo dhìon nam beann;
'S ged dh'fhag sibh 'n t-àite, na caill bhur cànan,
'S gum bruidhinn sibh Gàidhlig ma thig sibh ann.

Òran an t-Subsadaidh

Sèist: Och - òin, nach sinn tha mul - a - dach -'S e 'n sub - sadaidh a lèir sinn, 'S mur

faigh sinn caor - aich dhubh-cheann - ach, Do thaigh nam bochd a thèid sinn.

(Air fonn 'Fàilte Rubha Bhatairnis')

Ochòin, nach sinn tha muladach -
'S e 'n subsadaidh a lèir sinn,
'S mur faigh sinn caoraich dhubh-cheannach,
Do thaigh nam bochd a thèid sinn.

Tha am Ministear gar cuideachadh -
'S e sin a thuirt e 'n-dè rium:
Gun dèanadh e na b' urrainn dha
Nuair thèid e do Dhùn Èideann.

Bha mòran de na gaisgich ann
Nuair chruinnich iad ri chèile;
Bha 'n *Sheriff* 's e cho fasanta,
'S bha Eàirdsidh Mhuilich fhèin ann!

Bha Liosaich agus Uibhistich
A' crònan feadh a chèile -
"'S e nì math," thuirt Alasdair,
"Mur leum iad air a chèile."

"Mur faigh sinn caoraich dhubh-cheannach,"
Thuirt Dùghall Mòr ri Seumas,
"Thèid sinn sgrìob a dh'Afraga
'S gheibh sinn ailigèitears!"

Bha Tirisdich is Muilich ann,
Bha *Cambuslang* gu lèir ann;
Bha Dòigean a' leum 's coilear air,
'S e bruidhinn riuth' am Beurla.

Anna Chaimbeul

Sèist Ann - a Chaim - beul, chaidh thu thair - is, Tha sinn gad
ionnd - rain, beag is mòr; Gum - a slan a bhios tu,
Ann - a, Fad - a thall an Sing - a - pore.

Anna Chaimbeul, chaidh thu thairis,
Tha sinn gad ionndrain, beag is mòr;
Guma slàn a bhios tu, Anna,
Fada thall an Singapore.

Nuair a bha thu òg nad chaileig
Ruith nan cnocan an Lios Mòr,
'S beag a shaoil thu anns an àm sin
A bhith thall an Singapore.

Tha thu bòidheach 's tha thu banail,
Tha thu measail an Lios Mòr;
Tha do chàirdean lìonmhor, Anna,
Ann an Eilean uain' an Aoil.

An *Chevalier Hotel*

Sèist Inn - sidh mi - se dhuit, a char - aid, Mar a thach -air anns a' bhail - e -

Cail - ean Bàn is Bald - ie Ail - ean A' cumail Call - ainn san *Hotel.*

Innsidh mise dhuit, a charaid,
Mar a thachair anns a' bhaile -
Cailean Bàn is Baldie Ailean
A' cumail Callainn san *Hotel.*

Sèist
I ho rò 's na hò ro èile,
Òlamaid deoch-slàint' a chèile,
'S ma tha bàrdachd ann an Seumas,
Cuiridh e ri chèile rann.

'S nuair a chuir iad dhiubh am brògan,
'S ann an sin a dhùisg iad Dòigean;
Fhuair e smùid de Mhac an Tòisich -
Chuir sin foghlam ann a cheann.

Fear an taighe às a lèine,
'S thuirt e modhail riuth' am Beurla,
"As you have an invitation,
Chan eil feum air aodach ann."

Dh'èirich fear a ghabhail òran,
'S bha 'n cù ruadh toirt luinneag còmh' ris;
"Nuas am botal sin," thuirt Dòigean,
"'S òl deoch-slàint' mo leannain fhèin."

Guma slàn a bhios na gillean -
B' e mo dhùrachd iad a thilleadh,
Iad cho sunndach 's iad cho cridheil,
Gaol nan gillean san *Hotel.*

O, nan cuala tu, a charaid,
Am fuaim bha dol air feadh an taighe -
Bha na cearcan air an fharadh
Leum le faram leis a' cheòl.

Leum 'n sin Calum Bàn a laighe
A-null air cùlaibh bean an taighe -
Cha robh guth no cuimhn' air Cathie
Leis an dram a bha na cheann.

An uair a thàinig beul an latha,
'S ann a chuimhnich iad air Cailean -
Bha e a' feitheamh leis an aran
Thàinig thairis san *Lochnell.*

Nuair a thig oirnn an samhradh,
Tillidh rinn na daoine Gallta,
'S cluinnidh tu iad uile faighneachd,
"Cà 'il an *Chevalier Hotel?*"

An *Calor Gas*

Sèist Tha 'n *Cal - or Gas* air tighinn don dùth - aich, Chaidh an crùisg - ean a chur

às; Chan eil feum a-nis air ùill - eadh, Tha e cùbh - radh 's tha e math.

Tha 'n *Calor Gas* air tighinn don dùthaich,
Chaidh an crùisgean a chur às;
Chan eil feum a-nis air ùilleadh,
Tha e cùbhradh 's tha e math.

Aig a' cheidhe air Diciadain,
'S baraill iarainn feadh do chas,
Calum Robertson 's MacDhiarmaid
Cur air tìr a' *Chalor Gas.*

Tha e nis aca san Òban,
Tha e shuas an Dail an Tairt*,
Tha e math airson *thrombosis* -
'S e mo ghaol an *Calor Gas*!

Ma tha am bàrd dol thar na fìrinn,
Chan eil sibhse dol ga bhrath;
Innsidh Corrigan dha-rìreadh
A h-uile nì mun *Chalor Gas.*

Thuirt MacColla rium Diciadain,
"Thig a-staigh, ach rub do chas,
'S chì thu 'n innleachd ùr aig Mòrag -
Fhuair i staigh an *Calor Gas.*"

*Taigh nam Bochd

Thàinig duine dubh don dùthaich -
Chuala e mun *Chalor Gas:*
*"Buy the presents, bonny lady,
Bonny presents from Madras."*

Tha na daoine dh'fhàg an dùthaich
Nis an dùil ri tighinn air ais -
Chuala iad gun d' fhalbh an crùisgean
Is gun d' fhuair sinn *Calor Gas.*

O mo shoraidh leis a' chrùisgean,
O mo chreach, cha robh e math!
Chan eil duine 'n-diugh gad ionndrain -
Fhuair sinn staigh an *Calor Gas.*

Òran a' Cheàird

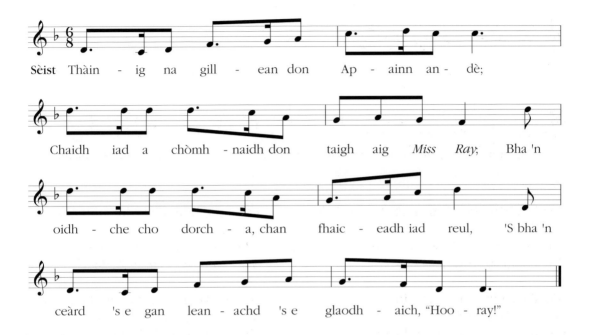

Sèist Thàinig na gillean don Apainn an-dè;
Chaidh iad a chòmhnaidh don taigh aig *Miss Ray*; Bha 'n
oidhche cho dorcha, chan fhaiceadh iad reul, 'S bha 'n
ceàrd 's e gan leanachd 's e glaodhaich, "Hooray!"

Thàinig na gillean don Apainn an-dè;
Chaidh iad a chòmhnaidh don taigh aig *Miss Ray*;
Bha 'n oidhche cho dorcha, chan fhaiceadh iad reul,
'S bha 'n ceàrd 's e gan leanachd 's e glaodhaich, "Hooray!"

Nuair a chaidh iad don t-seòmar 's a shuidh iad mun bhòrd,
A h-uile nì gasta ri itheadh 's ri òl,
'S e 'n ceàrd a b' fhear-cathrach, le botal na dhòrn,
'S e glaodhaich le faram, "Seo whisky gu leòr."

Thuirt an ceàrd 's e na sheasamh, "Mun òl mis' an dram,
'S e Stiùbhart as ainm dhomh: bu rìoghail mo dhream;
'S ann à Apainn nan gillean a thàinig mo dhaoin'
'S tha mòran dem chàirdean an Eilean an Aoil."

"A chàirdean 's luchd-eòlais," thuirt am bodach leis fhèin,
"Gheibh sinn nis òran bhon Stiùbhartach fhèin;
Cha chuala sibh leithid, gun cuir mise geall,
'S e sòlas bhith 'g èisteachd ri brìodail a bheòil."

'S e 'n ceàrd a bh' air thoiseach nuair thòisich am bàl,
A' bualadh a bhasan 's a' glaodhaich, "Hurrah!"
Colthart 's MacArtair a' sgailceadh tron ruidhl' -
'S ann an sin bha a' hoireann san Apainn a-raoir.

Thuirt an ceàrd, "Nan robh agam a-nis a' phìob-mhòr,
Bheirinn-sa ceòl dhuibh, a mhuinntir Lios Mòir;
Tha agam de *mhedals* nach cuireadh tu 'm poc,
'S iad crocht' anns an t-seòmar aig *Mrs Holt.*"

'S e na h-òrain 's a' hoireann a gheuraich an càil,
'S dh'ith iad a h-uile nì a gheibheadh an làmh;
Gu h-àrd anns a' *gharret* a chaidh iad mu thàmh;
Bha an ceàrd air an staidhir 's e glaodhaich, "Ta-ta."

Nuair a thàinig a' mhadainn agus bristeadh an là,
Bha cainnt aig na gillean nach b' urrainn mi ràdh.
"Nan robh sinn," thuirt Cailean, "air eilean mo ghràidh,
Chan fhaiceadh iad sinne san Apainn gu bràth."

'S e MacGhilleDhuibh a th' air aiseag a' Chaoil,
Le Seumas is Cailean ag aiseag nan daoin';
Bha fhios aig na gillean nuair stadadh a' ghaoth
Gum faigheadh iad thairis gu Eilean an Aoil.

Bu neo-shunndach na gillean nuair fhuair iad gu tìr -
Bha 'n t-aonach cho corrach 's bha balaich cho sgìth;
Nan d' fhuair iad an làmhan air ceàrd an là 'n-dè,
Chan fhaiceadh e tuillidh Loch Abar nam fèidh.

Òran Gaoil

Sèist
Gura trom a thug mi gràdh
Don chaileag àlainn cheanalta -
Nìonag òg a' bhroillich bhàin,
Gruagach òg nam meall-shùilean.

Nuair chuir mi eòlas ort, a rùin,
Cha robh thu ach ad chaileag bheag;
D' fhalt na fhilleadh sìos do chùl -
Mo luaidh, gur tu bha eireachdail.

Tha do ghruaidhean mar an ròs,
'S gur maiseach tha do phearsa leam;
'S e do bhòidhchead rinn mo leòn,
'S cha bhi mi beò mur faigh mi thu.

A-nochd 's mi mach air àird a' chuain
'S mi smaoineachadh, a leannain, ort,
Cha dèanainn suap le tè a b' uaisl',
A ghaoil, on thug thu 'n gealladh dhomh.

'S ged tha mi 'n dràst' cho fada bhuat,
'S mi mach ri slios Ameireaga,
Gur h-uaigneach leam gach là is uair
Bhon àm a rinn sinn dealachadh.

Mo Shoraidh don Eilean

Sèist Mo shor-aidh don eil-ean A dh'àr-aich mi òg, Eilean Lios-ach uain' meas-ach, Gun nas bòidhch' san Roinn - Eòrp'; Bidh mo smuain-tean ag im-eachd Do gach coir' ag-us stòr, 'S b' e mo dhùr-achd bhith till-eadh Do dh'eil-ean an fheòir.

Mo shoraidh don eilean
A dh'àraich mi òg,
Eilean Liosach uain' measach,
Gun nas bòidhch' san Roinn-Eòrp';
Bidh mo smuaintean ag imeachd
Do gach coir' agus stòr,
'S b' e mo dhùrachd bhith tilleadh
Do dh'eilean an fheòir.

Air moch-mhadainn shamhraidh
Nuair a dh'èireas a' ghrian,
An aonaidh làn neòinean
'S driùchd na h-oidhch' air an t-sliabh;
Am fasgadh nan àrd-bheann,
Tìr fhàsail nam fiadh,
Eilean Liosach mo ghràidh-sa -
'S tu tha tàladh mo mhiann.

Gur tric mi gam bhuaireadh
'S mi uaigneach bho chàch,
Mo chridhe fo uallach
A bhith cuimhneach' mar bha,
Am bothan bàn aolaicht'
Ri gualainn na tràgh'd,
'S na daoine bha sùrdail -
Cha thill iad gu bràth.

'S iomadh fear tha mar tha mi
An dràst' air a' chuan,
A' cogadh ri nàmhaid
Tha gun fhàbhar gun truas;
'S ma thèid mar as àill leam,
Gheibh sinn fhathast ar buaidh,
'S thèid mi 'n deireadh mo làithean
A thàmh don taobh tuath.

Òran don Ghille Bheag

Sèist   Mo   rùn   air   a'   ghill - e   bheag,   'S tu

rinn   mo chridh' a thàl - adh -'S e   leòn mi 'n- diugh bhith dealach' riut 'S gur

mul - a - dach   a   tha   mi.   Mo   rùn   air   a'   ghill - e   bheag.

Sèist
Mo rùn air a' ghille bheag,
'S tu rinn mo chridh' a thàladh -
'S e leòn mi 'n-diugh bhith dealach' riut
'S gur muladach a tha mi.
Mo rùn air a' ghille bheag.

An eilean Liosach uain' an aoil
Tha thu a' faighinn d' àrach,
'S, a Lachainn bhig dan tug mi gaol,
Gur truagh tha mi gad fhàgail.
Mo rùn air a' ghille bheag.

Tha do dhà ghruaidh mar ròs nam bruach
Air aghaidh bhòidheach bhàidheil;
Tha falt do chinn mar shìoda mìn
'S tu uasal ann ad nàdar.
Mo rùn air a' ghille bheag.

Nuair bhios tu 'd shuain 's mi mach air cuan
A' cogadh ris an nàmhaid,
Bheir tàmh dam smuain gu bheil thu tuath
San eilean uaine sàbhailt'.
Mo rùn air a' ghille bheag.

Is e mo dhùrachd dhuit, a rùin,
Saoghal fada 's slàinte,
Is fàillinn cha tig a chaoidh
Sa ghràdh a thug am bàrd dhuit.
Mo rùn air a' ghille bheag.

Mas e 's gum buannaich mi droch uair,
Thèid mi cuairt mar b' à'ist dhomh
Don eilean Liosach, tìr mo luaidh
San d' fhuair mi greis gam àrach.
Mo rùn air a' ghille bheag.

Shìneag Bheag

Sèist Shìn - eag bheag, gur tu mo ghràdh, Daonn - an bhith rid thaobh bu mhath leam;

'S uaigneach   gach oidhch' is là Bhon rinn mi d' fhàg - ail, mo   chaileag.

1. Tha do   ghruaidhean beag cho bòidheach Ris an ròs air sliabh a' bharraich,

Falt cho mìn ri   can - ach mòint - ich 'S cumadh fìn - eal - ta gun mhearachd.

Sèist
Shìneag bheag, gur tu mo ghràdh,
Daonnan bhith rid thaobh bu mhath leam;
'S uaigneach gach oidhch' is là
Bhon rinn mi d' fhàgail, mo chaileag.

Tha do ghruaidhean beag cho bòidheach
Ris an ròs air sliabh a' bharraich,
Falt cho mìn ri canach mòintich
'S cumadh finealta gun mhearachd.

Binne leam na guth na smeòraich
Do luinneag cheòlmhor anns a' mhadainn,
Air do bhathais dreach an t-samhraidh
Tha cur taitinn ann am chridhe.

Tric nuair tha thu 'd chadal suain
'S mi air mo ghlùinean taobh do leabaidh,
Facail chiùin gun cuir mi suas
Gum bi thu buaidh 's gun dìth, mo leannan.

'S tu mo neart is 's tu mo shlàinte,
As d' eugmhais cha bhi mi fallain -
Leis cho trom 's a thug mi gràdh dhuit,
Air gach tonn gum faic mi d' fhaileas.

Òran do Mhaighread

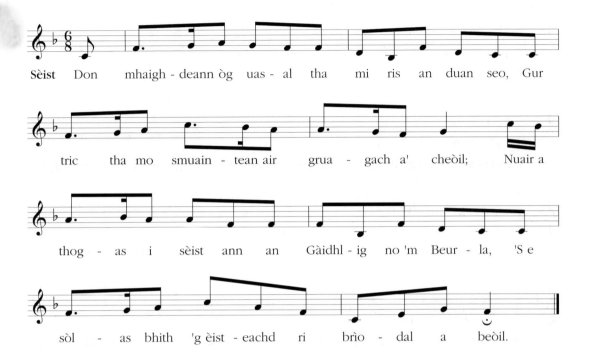

Don mhaighdeann òg uasal tha mi ris an duan seo,
Gur tric tha mo smuaintean air gruagach a' cheòil;
Nuair a thogas i sèist ann an Gàidhlig no 'm Beurla,
'S e sòlas bhith 'g èisteachd ri brìodal a beòil.

Tha i suidhichte, dòigheil, foillseach is bòidheach,
Bàidheil 's suairce, màlda gun spòrs;
Guth milis mar smeòrach nuair sheinneas i òran -
Cumhachd do chànain a dh'àraich i òg.

Tha h-anail cho cùbhraidh ri neòinean nan aonaidh,
'N àm cadal no dùsgadh 's e luaidh an tè òg,
'S i smiorail gun fhàillinn mar earba san fhàsach,
'S le fìor-fhuil nan Gàidheal tha 'n nàdar gach seòrs'.

Mo dhùrachd don ghruagaich, tè dhonn a' chùil dualaich -
Gach taobh nì i gluasad gum buannaich i còir;
'S an gràdh thug am bàrd dhi cha lagaich 's cha bhàsaich
Gu deireadh a là is e sìnte fon fhòid.

Clàr nan ciad sreath/Index of first lines